늘 간직하던 감사의 마음을 전합니다

병원경영 실전전략

박개성 · 엘리오앤컴퍼니

병원경영의 최고 전문가가 전해주는 실전의 지혜

박 개 성 (朴 介 成)

주요 약력

- 서울대학교 경영대학 경영학과 학사, 동대학원 석사, 공인회계사
- 현) 엘리오앤컴퍼니 대표이사, 가립회계법인 대표이사
- 전) 청와대 직속 기획예산위원회 정부개혁실 행정개혁단 팀장
- 전) 기획재정부(舊 기획예산처) 정부개혁실 재정개혁단 팀장
- 전) 아더앤더슨 코리아 시니어 컨설턴트
- 현) 한국공기업학회 부회장, 국가보훈처 정책자문위원
- 현) 기획재정부 국가회계심의위원회 민간위원

의료분야 주요 활동

전국 대학병원(200여 회)과 중소병원(60여 회)의 컨설팅(국내 최다)

- 서울대병원 등 TOP 10의 90%, 상급종합병원의 67% 등 컨설팅 수행
- 4대 종교단체 병원, 3대 치과대학병원, 3대 한방병원 등 컨설팅 수행
- 전국 700병상급에서 100병상급의 병원 11개 협력경영 수행

병원경영과 의료정책에 대한 12권의 저술(국내 최다)

- 중소병원 생존전략, 경영의 명의, 엘리오 병원전략, 병원인재의 조건, 병원장은 많아도 경영자는 없다, 병원은 많아도 의료산업은 없다, 공동개원 절대로 하지 마라, 의료정책과 병원경영 등

의료관련 정책부처와 기관에 대한 자문활동

- 보건복지부 정책자문위원, 조직개편 자문위원, 성과관리위원
- 국무총리실 의료산업선진화 전문위원, 첨단의료복합단지 자문위원
- 국가중앙의료원 설립위원회 위원, 추진위원회 위원 등
- 의료산업 최고경영자회의 기획위원장

의료관련 교육과 비상임 활동

- 서울대병원 의료경영고위과정(AHP) 운영위원
- 연세대학교 보건대학원 겸임교수, 한국 외과연구재단 이사
- 존스홉킨스 보건대학원 자문교수(Faculty preceptor)

정책부처, 대학병원 등 강의(280여 회)와 병원신문 등 기고(70여 회)

- 청와대, 보건복지부, 전국 대학병원, 서울대 보건대학원 등 강의
- 병원신문, 의사신문의 고정칼럼과 중앙일보 헬스미디어 등 기고

공공분야 주요 활동

■ 국회와 청와대의 자문활동
· 국회 미래연구원 자문위원, 국회 예산정책처, 재정분석실 자문위원
· 국회 공적자금 운영실태를 위한 청문회 예비조사 위원
· 청와대 공기업 선진화위원회 위원

■ 중앙부처에 대한 자문활동
· 기획재정부 정부투자기관 경영평가단 총괄반 위원, 정책자문위원
· 행정자치부 혁신추진단 위원, 변화관리추진단 위원
· 건설교통부 철도구조개혁 자문위원

■ 지방자치단체와 공기업에 대한 자문활동
· 서울시 시정평가 자문단, 조직개편위원회, 인사쇄신위원회 등 위원
· 부산시 시정경영진단, 인천시 중기재정계획 심의위원회 위원
· 한국전력공사, LH공사, 수자원공사 등 혁신위원회 위원
· 동서발전 주식회사 비상임이사, 고용정보원 비상임감사

■ 공공부문에 대한 강의
· 청와대, 중앙부처(기획재정부, 보건복지부 등) 대상 강의
· 서울대 행정대학원의 공기업 과정, 동아일보 공공아카데미 강사
· 한국전력공사, LH공사, 한국철도공사, 한국수자원공사 등 공기업 대상 강의

■ 공공부문 관련 저술(5권)
· 공공기업 변화의 조건, 정부개혁 고해성사, 비전달성의 BSC,
공공혁신의 敵-정부그룹 경영혁신, 공공혁신의 窓-정부그룹 전략보고서

목 차

들어가는 글

그때도 방법은 있었다

갈 만큼 갔다고 생각하는 곳에서 얼마나 더 갈 수 있는지 아무도 모르고, 참을 만큼 참았다고 생각하는 곳에서 얼마나 더 참을 수 있는지 누구도 모른다.

「 백범 김구 」

급격한 환경변화는 준비된 자를 위한 선물

코로나 같은 상황에서는 모든 병원의 경영이 나빠질까? 그렇지 않다. 상당수의 병원이 적자를 내거나 정체되었지만, 어떤 병원은 매출이 15~20% 성장하고, 이익률이 20%에 육박했다. 여느 벤처기업 부럽지 않은 성과일 뿐 아니라 묵은 숙제를 해결하기도 했다. 상당수의 병원이 동네축구팀이 하는 식으로 '코로나'와 같은 눈앞에 있는 공만 쫓아다닌 데 반해, 이 병원들은 프로축구팀처럼 효과적으로 훈련하고, 작전을 짜서 각자가 할 일을 잘 수행했기 때문이다.

앞으로 5년 내 수도권에만 5개 대학병원의 분원과 대형병원이 개원할 예정이다. 병상수가 최소 3,000병상을 넘는다. 이 병원들은 환자는 물론 엄청나게 많은 의사와 간호사를 블랙홀처럼 빨아들일 것이다. 지금도 지방의 중소병원은 물론 대학병원도 의사와 간호사 확보에 애를 먹는데 그때는 어떤 상황이 빚어질 지 상상하기조차 어렵다. 앞으로 이와 같이 예상할 수 있는 환경이든 코로나처럼 예상치 못한 환경이든 환경변화는 지속적으로 밀려들 것이다.

고객의 눈높이, 노동과 의료정책, 첨단기술, 교통과 정보통신 등에서 변화의 속도는 빨라지고 그 변화의 영향은 더욱 커질 것이다. 이는 의료서비스의 고급화, 첨단화로 이어져 비용 부담은 늘어나지만, 수가는 따라오지 못할 것이 자명하다. 급속한 고령화로 인해 재정 부담이 크게 늘어나 수가를 높여줄 여력이 없을 것이기 때문이다.

환경변화에 둔감하거나 막연히 환경이 좋아지기만을 기다리는 것은 위험을 자초하는 일이다. 환경이 변화해도 우리 병원이 잘 될 수 있는 이유를 찾고 다른 사람에게도 쉽게 설명할 수 있어야 한다.

급격한 환경변화는 아무런 준비가 없는 병원에게는 위기로 닥치지만, 준비된 병원에게는 도약의 기회를 선사한다. 준비된 병원을 잉태시키는 것은 '새로운 시각'이다. 과거와 같은 눈으로 보면 새로운 대안을 만들 수 없기 때문이다. 다윗과 골리앗의 싸움에서 교훈을 얻을 수 있다. 왜소한 다윗의 약점이 기민함이라는 강점이 될 수 있고, 덩치가 크고 힘이 센 골리앗의 장점이 천천히 움직이는 큰 표적이라는 단점이 될 수 있다는 것은 새로운 눈으로 보아야 알 수 있는 사실이다.

잃어버린 시간이 되지 않아야

과거 서울아산병원이나 삼성서울병원이 등장했을 때 의료계가 전반적으로 긴장했다. 환자를 대하는 인식이 바뀌었고, 건강한 경쟁의 분위기가 형성되었다. 그러다 시간이 지나고 대학병원이 서열화되면서 다른 병원의 변화에 대한 반응도 무뎌지게 되었다. 그래서인지 대학병원의 경영자는 수익을 충분히 더 낼 수 있어도 관심을 기울이지 않거나, 브랜드를 높일 절호의 기회가 와도 흘려버린다. 대과(大過)없이 임기를 마치는 것이 큰 행운이라 여기는 분도 적지 않다. 대부분의 중소병원도 대학병원의 확장과 불리해지는 정책환경에 지치고 무기력해지고 있다.

하지만 오늘, 올해를 무사히 넘기는 것이 목표의 전부가 되어서는 안 된다. 특별한 투자 없이, 시스템의 고도화 없이, 브랜드 가치의 상승 없이 한 해를 넘겼다는 것은 퇴보를 의미한다.

투자를 위한 수익성을 확보하고, 병원의 브랜드를 높이는 노력을 지속해야 한다. 반발과 부작용이 우려된다고 궂은일을 하지 않으면 적자가 늘어나고 브랜드 가치는 떨어진다. 그렇게 되면 환자가 병원을 외면하고, 구성원의 처우는 더 나빠지게 된다. 전임 병원장의 '우아한' 경영은 후임 경영자나 구성원들에게는 큰 짐이 된다.

특히 임기가 짧은 병원장은 우물쭈물하거나 좌고우면할 시간이 없다. 임기의 절반이 지나면 할 수 있는 일이 거의 없어진다는 것을 항상 유의해야 한다. 이와 달리 오랜 기간 경영해온 중소병원의 경영자는 위기 상황에 무뎌지고 자신감이 떨어지는 문제에 봉착하는 경우가 있다.

기다리는 것이 미덕이 아니다. 오히려 기다리면 상황은 더 악화된다. 서둘러야만 다른 병원과의 격차를 줄이고, 미래의 생존을 모색해 볼 수 있다. 어떤 병원경영자들은 "이제는 어떻게 해 볼 방법이 없다"고 푸념하기도 한다. 하지만 시간이 지나면 알게 된다. '그때도 방법이 있었다'는 것을. 지금보다 더 잘 할 수 있는 방법이 과거에 있었고, 그때 실행했으면 더 큰 효과가 있었다는 것을. 그러므로 최적의 실행 시기는 언제나 '지금'이다.

이론을 넘어 실전사례를 제시

대학병원은 물론, 다양한 특성을 지닌 전국의 중소병원들과 협력경영을 하면서 병원들이 각기 얼마나 다른 지를 수시로 절감하게 된다. 규모, 전문화 여부, 조직분위기, 국공립병원과 사립병원, 개인병원과 의료법인, 단독과 공동경영 여부 등의 특성에 따라 처방도 대안도 매우 달라질 수밖에 없다. 게다가 경영자의 스타일과 인품은 결정적인 차이를 불러오기도 한다.

이런 특성들로 인해 같은 의사결정도 다른 결과를 초래하는 것을 흔히 볼 수 있다. 어떤 병원에는 맞는 처방이 다른 병원에는 부작용을 유발할 수도 있다. 그래서 구체적인 상황을 파악하지 않고 일반적인 대안을 언급하는 것은 매우 조심스럽다. 체중, 체질, 다른 질환 여부, 알레르기, 가족력 등을 고려하지 않고 처방하면 예상치도 못한 부작용이 발생할 위험이 있는 것과 같다.

대부분의 병원은 고쳐야 할 것투성이지만, 이를 한꺼번에

할 수는 없다. 여러 곳이 아프다고 한꺼번에 모든 부위를 수술하지 않듯이, 치료계획을 세워 치료의 순서를 정해야 한다. 최소한의 시설정비부터 해야 하는 병원이 있는가 하면, 의료진의 성과급부터 개선해야 하는 경우가 있다. 또는 환자 유치를 위해 관련된 시스템 구축과 교육을 먼저 해야 하는 경우도 있다. 상황에 따라 과제의 선후가 있기도 하다. 예를 들어 시설 개선이나 전문화에 대한 조치가 늦지 않게 이루어진다면, 당연히 홍보는 그 이후로 미루는 게 좋다. 또 의료진의 협조가 필요한 사항은 의료진의 성과급이나 처우와 관련된 제도와 함께 개선하는 것이 좋다. 이처럼 해야 할 일들이 유사해도 병원이 처한 상황과 여건에 따라 실행해야 할 과제의 순서는 다를 수밖에 없다.

어떤 과제를 풀어야 할지, 우선순위를 어떻게 할지 각자의 병원 사정과 여건에 맞추어야 한다. 이런 점을 감안하여 병원경영자들이 응용하기 쉽도록 20여개의 실전사례를 이 책에서 소개한다. 저자가 병원과 장기계약을 맺고 협력경영할 때 가장 표준적인 방식을 목차 순서에 담았다. 그래서 목차에 적힌 과제별로 우리병원은 어떤 수준인지, 무엇이 문제인지, 또 어떻게 하고 있는 지를 돌아보고, 보완하는 것만으로도 병원 발전에 적지 않은 도움이 되리라 본다. 또 이 책에 인용한 설문결과는 저자가 20여 년간 프로젝트를 하면서 구축한 병원 구성원, 내원환자, 지역주민에 대한 설문 데이터베이스에서 선별한 것이다. 이 데이터들은 종류별로 충분한 샘플이 포함되었으며, 참여한 사람도 10만 명이 훨씬 넘는다.

훌륭한 파트너들이
진정한 주인공이자 저자

이 책은 병원경영과 관련된 저자의 마지막 책이 될 것 같다. 그동안의 노하우를 책으로 쓸 수 있는 범위에서 최대한 녹여내고자 노력했다. 책을 일독하고 난 뒤 그냥 덮지 않기를 부탁드린다. 외람되지만 일주일에 한 챕터씩만 그 골간을 외울 수 있을 정도로 읽고 병원에 구체적으로 적용시킬 방안이 있는지 임직원들과 검토해보길 바란다. 병원경영의 새로운 맛, 새로운 경험을 하게 될 것이라고 확신한다.

그리고 책의 말미에는 그간 독자들과 공유하고 싶었던 저자의 여러 경험 등을 Elio Way라는 제목으로 적어보았다. 저자가 의료에 관심을 가지게 된 이유와 엘리오를 운영하면서 느낀 소회, 앞으로의 소망이 담겨있다. 저자가 어떤 가치를 추구하고, 어떤 방식으로 일하려고 했는지를 함께 공유하고 싶었다. 병원경영자가 자신과 그 조직의 미션을 돌아보거나 유일무이한 조직을 만들려고 할 때 새로운 단초를 줄 수 있기를 기대한다.

이 책을 쓰면서 많은 분들에게 감사한 마음이 들었다. 가장 먼저 병원협회의 윤동섭 회장님과 병원신문의 윤종원 편집국장님, 이숙자 국장님 그리고 협회의 임직원 분들이다. 저자의 부족한 글재주를 알면서도 3년 전과 올해에 병원신문의 귀한 지면을 할애하여 연재 기회를 주셨다. '병원경영 실전전략'이라는 제하로 병원신문에 11회에 걸쳐 연재한 글을 기본으로 하되 지면의 한계로 담아내지 못한 부분을 보완하여 이 책을 완성하게 되었다.

책을 쓸 때마다 응원해주고 글의 품격을 높여준 절친 박은호 조선일보 부장과 서구일 모델로 피부과 원장, 그리고 미래 의료에 대해 많은 화두와 지혜를 공유해준 세명기독병원의 한동선 이사장님과 류인혁 병원장님께 고마운 마음을 표하지 않을 수 없다. 그리고 저자에게 신뢰가 주는 힘이 얼마나 큰지를 가르쳐주신 어머니(안경순)와 저술가도 아니면서 책 쓰기를 일상으로 하는 저자를 배려해주고 조언을 아끼지 않은 아내(이선화)와 자식(지혜, 정준)들에게 사랑한다는 말을 전하고 싶다.

의료계에 발을 디딘 후 의료계의 거장, 장인, 명의, 프로 등 어떤 표현을 붙여도 어색하지 않을 훌륭한 분들과 교류할 수 있는 영광을 누렸다. 응원과 격려 그리고 행복을 주신 분들께 항상 감사드리며 평생 조금씩이라도 보답하겠다는 다짐을 하게 된다. 그분들의 공통점은 국가에 대한 부채의식, 헌신하는 자세, 모두에게 성실한 모습이라고 생각된다. 때로는 병원경영을, 때로는 의료정책과 국가미래를 논하는 시간들이었다. 가슴 뿌듯한 기억들이다. 최근에는, 짧게는 3년에서 9년간 협력경영을 하는 병원들이 있다. 전문병원을 포함한 중소병원에서 대형병원까지, 개인병원에서 대학병원 분원에 이르기까지 전국에 걸쳐 매우 다른 여건을 가진 병원들이었다. 병원 경영진과 구성원과 함께 협력경영을 통해 획기적인 성과를 이루어낼 때의 뿌듯한 심정은 이루 말할 수 없을 정도로 컸다.

그러므로 이 책의 진정한 주인공은 저자와 함께 프로젝트를 하거나 협력경영을 했던 분들이라고 할 수 있다. 동고동락했던 중소병원의 이사장, 병원장과 보직자들 그리고 엘리오 임직원들의 격려, 예리한 지적과 제안이 없었다면 이 책은 나올 수 없었다. 한마디로 이 책은 그분들과 함께 고민하며 만든 공동작품이다. 하지만 지적받아야 할 점이 있다면 그것은 온전히 저자의 몫이다.

저자에겐 의료계에서 숨 쉬고 행동하는 매일이 배움의 날들이다. 앞으로는 병원경영보다는 고령화를 대비하고, 의료계의 미래를 준비하는 책을 쓰게 될 것 같다. 지금까지 저자의 곁을 지켜온 엘리오 임직원을 비롯해 제안과 격려, 충고를 아끼지 않은 모든 분들에게 진심으로 감사드리며, 앞으로도 아낌없는 관심과 성원을 부탁드린다.

✻ 이 책에 등장하는 병원과 인물은 특정병원이나 특정인이 아니라 여러 병원의 사례를 복합하고 수정한 것이다. 실명으로 나오는 병원의 주요 내용이나 성과도 언론매체를 비롯한 공개된 자료만을 활용하였다.

1

변화는 '비전의 공감'에서 시작된다

꿈이 크지 않으면 시작하기 전에 실패한 것과 같다. 기업이 실패하는 이유에는 두 가지가 있다. 하나는 계획을 달성하지 못한 경우고, 다른 하나는 계획을 달성하긴 했지만 원대함이 부족했던 경우다. 계획이 원대하지 못했다는 건 근본적으로 시작하기도 전에 실패한 것과 마찬가지다. 나는 결코 두 번째 원인의 실패를 원치 않는다.

「 마크 저커버그, 페이스북 창업자 」

비전이 바뀌면
해결할 문제도 바뀐다

어떤 문제를 제대로 고민하지 않으면, 똑같은 물음이 쳇바퀴처럼 되돌아올 뿐 진전되지 않는 경우가 많다. 그래서인지 병원 경영진 중에는 수년 만에 만나도 토씨 하나 바뀌지 않은 말을 되풀이하는 경우가 적지 않다. 끊임없는 푸념과 대안 없는 남 탓으로 마무리되는 전형적인 스토리다. 딱히 틀린 말은 아니지만 그렇게 해서는 과거와 다른 내일을 기약할 수 없다.

병이 깊어서 오는 환자는 자기 몸은 자신이 제일 잘 안다며 제대로 된 진단과 치료를 미루어 온 경향이 있다. 이런 환자들은 여러 차례 밀려오는 증상을 가볍게 생각한다. 병원에 가자는 자식들의 진언에도 괜찮다며 버틴다. 그러다 증상이 심해져 병원을 찾을 때는 이미 병이 깊어졌을 때다. 막연히 아는 것과 정확히 아는 것은 매우 다르다. 안색을 보고 간이 안 좋다고 말하는 것과 간기능 검사를 해서 간의 건강상태를 정확히 진단하는 것은 완전히 다른 차원이다. 정확한 진단이 있어야 제대로 된 치료를 할 수 있다. 마찬가지로 조직의 문제도 증상과 원인을 정확히 파악해야만, 구체적인 해법을 찾을 수 있다.

무엇이 우리병원의 진짜 문제인가를 아는 것이 첫걸음이다. 그것은 병원이 지향하는 비전이 결정한다. 동일한 병원이라도 최고의 병원이 되겠다는 비전을 세울 때와 수익성을 좀 더 높이겠다는 비전을 세울 때는 풀어야 할 문제와 대안이 달라질 수밖에 없다. 마치 어떤 청소년이 축구선수 또는 양궁선수 등 어떤 꿈을 꾸느냐에 따라 그가 가진 체력의 문제와 향후 훈련방법이 달라지는 것과 같다. 이처럼 비전이라는 새로운 눈을 가져야 정확한 진단과 적합한 해법이 보이게 된다.

담대한 비전은
선택 아닌 필수

경영상황이 좋지 않은 병원들에게 비전을 설정하라고 권하면, '운영이라도 걱정하지 않는 병원이 되면 좋겠다'는 말을 듣기도 한다. 그러나 이런 비전은 별다른 도움이 되지 않을 뿐더러 비전이라고 부르기도 어렵다.

극히 현실적인 비전은 달성하기 쉽다. 그런 비전을 달성하기 위한 전략 역시 도출하거나 실행하기 쉽다. 하지만 달성하기 쉬운 비전은 달성해도 획기적인 성과를 기대하기는 어렵다. 반면 비현실적으로 보이는 담대한 비전은 달성하기 어렵다. 그래서 이를 위한 전략도 창의적이어야 한다. 창의적이라는 것은 생소하고 실행하기 매우 어려운 경우가 대부분이다. 하지만 비전과 전략을 제대로 실행만 하면 병원은 획기적인 성과를 얻게 된다.

앞으로 병원 간 양극화는 더욱 심해질 것이다. 의료진에 대한 환자의 존경심이나 병원 구성원의 보상수준에 있어서도 최고의 브랜드를 가진 대학병원과 그렇지 않은 병원 간에 격차가 더욱 벌어질 것이다. 그래서 대학병원의 비전은 수익성 못지않게 '브랜드 랭킹'이 우선순위가 되어야 한다. 중소병원들도 규모나 특정 질환에서만큼은 '지역 내 상위 1, 2위에 랭크'되는 것을 비전으로 삼아야 한다.

대학병원이든 중소병원이든 담대한 비전을 세워야 한다. 저자가 비전과 전략을 수립할 때 가장 고민스러운 경우가 꿈이 작은 경영자나, 새로운 시도에 비관적이고 부정적인 경영자를 만났을 때다. 자신은 신중하고 현실적인 사람이라며, 만사에 비관적이거나 보수적인 경향이 강한 경영자는 지금보다 조금 더 나은 수준의 비전을 선호한다.

병원이 고귀하고 담대한 비전을 세워 창의적인 전략을 통해 이를 달성할 역량이 있는데도 이런 '경영자 변수'에 가로막히면 난감해진다. 이때는 비전목표를 낮추고, 이에 맞는 전략으로 수정할지 진지하게 고민하게 된다. 경영자가 흔쾌히 수용하지 않은 비전, 실행할 주체가 자신 없어하는 비전은 제 구실을 하지 못하기 때문이다.

Case. 1

이런 의미에서 분당서울대병원은 모범적인 병원이다. 대한민국 의료의 미래를 보여주겠다는 비전을 세우고 암뇌신경병원과 LH공사 부지매입 등 다양한 전략을 수립했다. 가까운 미래에 상급병원의 핵심적 경쟁력은 중증질환 역량이 될 것이라는 확신 아래 중증질환에 대한 신치료 모델을 만들기 위해 대규모 전문병원인 암뇌신경병원을 신속히 추진한 것이다. 우리나라 병상수가 급증하는 상황에서 정부가 인위적으로 병상 확장을 제한할 수 있다는 전망에 따라 선제적으로 500병상을 확장했다. 게다가 의료산업화를 이끌기 위해

옆에 있던 LH공사 부지를 매입하여 의료혁신파크로 활용하기로 했다. 당시 분당서울대병원의 매출규모는 2,700억 원 수준이었는데, 이런 병원이 1,000억 원 이상의 대규모 병원 신축과 3,200억 원 이상이 소요될 부지를 매입한다는 것은 불가능에 가깝게 여겨졌다. 그러나 이는 현실이 되었다.

모든 여건이 열악했던 어느 중소병원도 지역에서 최고의 병원이 된다는 비전을 세워 그 원대한 꿈을 현실로 만든 경우가 있다. 생존조차 어려운 병원이 지역 최고의 병원을 꿈꾸니 병원 구성원들조차 대부분 황당하고 비현실적이라는 반응을 보였다. 하지만, 비전을 현실화시킬 수 있는 구체적인 방법을 만들어 내니 냉소적인 조직분위기가 반전되면서 엄청난 에너지가 응집됐고, 결국은 비전을 달성할 수 있게 되었다.

전략은
핵심에 대한 도전

전략은 비전을 달성하기 위한 지혜를 의미한다. 그래서 비전이 있다면 당연히 이를 달성할 전략이 수립되어야 한다. 비전과 미션이 있다고 응답하는 병원에 구체적인 전략이 있는지 질문하면 '있다'는 대답은 40%가 되지 않는다. 선언적 비전은 있지만, 이를 달성할 구체적인 전략은 짜지 않은 경우가 많은 것이다.

담대한 비전은 창의력이라는 놀라운 힘을 불러일으킨다. 평범한 비전으로는 뻔한 전략이 나올 뿐이다. 불가능해 보일수록 새로운 시각이 나오고, 역발상을 통해 획기적인 전략이 창출된다.

Case. 2

A대학병원은 서울에서도 매우 좋은 곳에 위치하였으나 확장가능한 부지가 없어 외곽 또는 서울 근교로 이전을 계획하고 있었다. 우리에게 3곳의 부지를 검토해달라는 요청이 왔다. 발전가능성, 시장성, 재무적 타당성 등을 검토했으나, 현 부지보다 매력도가 현저히 떨어졌다. 그래서 현 부지를 유지하면서 해결할 방안을 모색했다. 병원은 건물 바로 뒤편에 개발이 불가한 부지를 소유하고 있었다. 이 부지를 시에 기부채납하고 용적률을 올릴 수 있는 방안을 권고했다. 시와 협의를 하여 용적률이 약 200% 상향되었고, 증

축이 가능한 부지를 확보한 것과 같은 효과를 거두었다. 좋은 입지를 유지하면서 필요한 증축을 할 수 있게 되었을 뿐 아니라 용적률이 늘어난 금전적 효과, 타부지로의 이전과 신축에 따른 의료이익의 감소 등 기회비용을 감안하면 최소 6,000억 원의 이익 창출 효과를 얻었다. 발상의 전환으로 새로운 길을 찾아내 획기적인 성과를 거머쥔 것이다.

대부분 병원들은 비슷한 숙제들을 오랜 기간 반복적으로 논의하곤 한다. '병원의 브랜드가 지속적으로 정체되거나 하락한다, 환자의 접근성이 너무 나쁜 입지에 있다, 의료수익의 상당 부분을 소수의 의료진에게 의존한다, 어이없는 실수들이 반복된다' 등이다. 처음에는 이를 해결하지 않으면 병원이 큰일 날 것처럼 생각하다가, 시간이 지나면 만성질환처럼 대수롭지 않게 여기게 된다.

시간이 지날수록 문제는 더 곪아가고 치러야 할 대가는 점점 커진다. 그런데도 대학병원의 경영진들은 짧은 임기 내에 별다른 문제가 없으면 굳이 나서서 해결하려고 하지 않는다. 또 중소병원은 발생할 위험과 투자의 부담이 두렵거나 무엇부터 손대야 할지 자신이 없는 경우가 많다.

먼저 냉정한 진단과 처방이 필요하다. 경영진은 비전을 세우고, 과거 전략을 비롯하여 위상과 실적, 리더십, 전문화, 조직 등 주요 경영요소를 진단한 후 가장 중요하고 시급한 과제를 선별하고, 이에 집중해야 한다. 엘리오는 병원경영요소를 12가지로 구분하여 파악하고, 이를 선진병원이나 유사 병원과 비교하여 종합적으로 진단한다.

선진병원과 비교하면 거의 모든 요소가 미흡할 수 있다. 하지만 위로가 되는 것은 모든 것을 잘해야 최고의 병원이 될 수 있는 게 아니라는 점이다. 세계의 초일류기업조차도 어설프고 제대로 작동하지 않는 조직 기능이 드물지 않다. 경영요소 중 병원의 위기를 초래한 가장 큰 원인이나 획기적 도약을 위해서 무엇이 핵심적으로 요구되는지 반드시 판단해야 한다. 전략경영이란 모든 것을 동시에 해결하는 것이 아니라 비전을 달성하는데 가장 중요한 과제에 먼저 집중하는 것이다. 그 성과를 토대로 다른 전략의 실행도 강화해야 한다.

성공률은 구성원의 신뢰에 달려

경영진단을 통해 현실을 샅샅이 들춰보는 것은 매우 괴로운 일이다. 하지만 냉철하게 직시하여 현 상태를 유지할 경우 3년, 5년 후에는 어떻게 될지 예상해야 한다. 진단과 대안 창출을 위해 자료분석은 물론 인터뷰나 설문조사를 통해 구성원들의 의견을 체계적으로 수렴해야 한다.

설문조사지에 자유롭게 의견을 적는 면이 있는데, "아무리 말해도 소용이 없었고, 이번에도 뻔할 건데 적어서 뭐 할까요?" 같은 말이 많이 등장한다. 이런 정도의 불만은 그래도 나은 편이다. 관리자에 대한 불신, 의료진의 불량한 태도, 낙후된 시설 등에 대한 불만이 산더미처럼 쌓여있다. 병원에 대한 기대감은 별로 없고, 미래를 포기한 듯한 워딩들이 쏟아진다.

Case. 3

B병원과 협력경영을 시작할 때였다. 설문에 '5년 후 우리병원의 전망을 어떻게 보느냐'고 물었다. 지금보다 나빠질 것이라는 답변이 무려 70%에 이르고, 좋아질 것이라는 답변은

불과 11%에 지나지 않았다. 구성원과 함께 비전을 세우고, 전략을 모색했다. 2개월 후 결과를 공유한 후 같은 질문을 했다. 지금보다 나빠질 것이라는 답변이 불과 6%에 지나지 않았고, 좋아질 것이라는 답변은 80%를 넘어섰다(그림 1).

그림 1. 워크숍 전후 B병원 미래에 대한 구성원 생각 변화[1)]

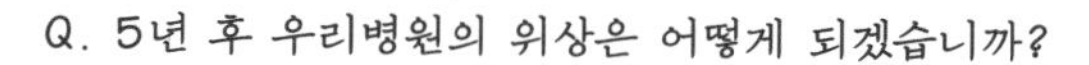

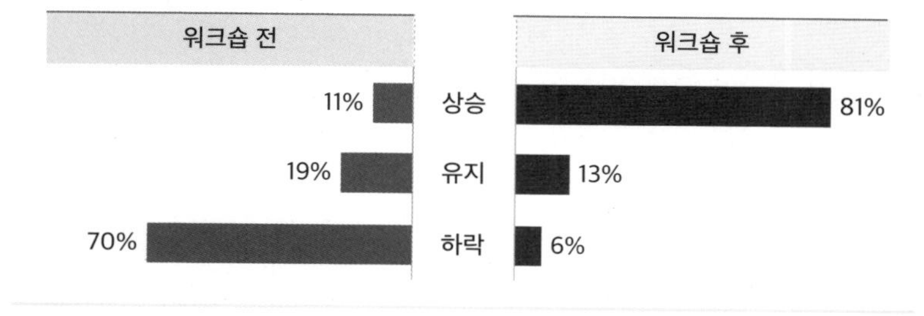

구성원들은 불과 두 달 만에 병원에 대한 전망을 사실상 180도 바꾼 것이다. 전략을 수립하고 공유하는 과정만으로도 구성원들의 미래 전망이 매우 개선되었다. 이는 병원에 협조적인 분위기를 형성하게 되었고 오래지 않아 역대 최고의 수익을 갱신하는 등 진료실적의 상승으로 이어졌다.

실제로 대학병원이나 중소병원 할 것 없이 의료진의 의견수렴과정을 거친 후 분석된 진단결과나 향후 전략을 발표하면, 거의 예외없이 진료수입이 올라간다. 처음 한두 번 이런 현상을 접하고는 우연일 수도 있다고 생각했다. 하지만 이제는 발표 이후에 이런 신호가 포착되지 않으면 오히려 예외적인 상황으로 받아들인다. 그래서 우리 컨설턴트들은 발표가 예정된 날을 '부흥회'라고 우스개 소리를 하곤 한다.

최근에도 지방의 모 대학병원에서 엘리오의 발표 후 진료수익이 약 20% 수직상승하는 일이 있었다. 공감할 만한 속 시원한 진단을 듣거나 향후 나아갈 방향을 알게 되면 의료진들은 그날 이후부터 사실상 즉각적으로 반응하기 시작한다. 의료진이 어떤 마음을 먹느냐에 따라 의료수익에서 약 10%의 변화를 보인다. 물론 이런 반응이 지속되기 위해서는 성과급을 비롯한 적절한 제도적인 보완이 따라주어야 한다.

그런데 일반적으로 비전과 전략이 있는 경우에도, 구성원들이 잘 알고 있다고 응답하는 비중은 30%를 넘어서지 않는다. 그 이유는 상당수의 병원에서 소수의 인력이 비전과 전략을 수립하고, 제대로 된 발표나 설명을 하지 않기 때문이다. 이런 경우 실행과정도 힘들거니와 좋은 성과를 내기 어렵다. 같은 비전과 전략도 구성원들이 신뢰하고 이를 지원하느냐 아니면 어차피 안 된다고 생각하면서 억지로 시늉만 내느냐에 따라 그 성공률은 완전히 달라진다. 아무리 효과적인 전략이라도 경영진의 힘만으로는 성공하기 어려운 것이다.

체감할 수 있는 과제를 조기에 실행하라

진단과정에서 병원에 대한 각종 요구사항과 불만사항을 수렴하지만, 그 단계에서 그칠 뿐 한 발 더 내디뎌 이를 해결하려는 병원은 많지 않다. 불만의 강도와 빈도가 높고, 큰 비용이 들어가지 않는 것부터 신속히 처리해야 한다. 당장 실행되지 않는 것들은 언제까지 해결하겠다는 계획을 구성원들에게 알려주어야 한다. 이런 조치는 새로운 전략들이 실현될 것이라는 믿음을 가지게 하고, 운동선수들이 스타트라인에 들어서기 전에 '곧 달린다'는 무언의 신호를 근육에 주는 것처럼 새로운 출발을 앞두고 마음가짐을 다잡게 한다.

구성원들이 강력하게 제기하는 불만들은 다른 병원과 비교할 때 매우 불합리한 것들인 경우가 많다. 정기적인 회식을 강요하는 등 구성원들에게 불필요한 부담을 주거나, 공휴일을 휴가 일수에 포함하여 산정하는 등 불법을 행하여 불만을 사기도 한다. 이런 흠결을 방치한 채 우수한 병원이 될 방안은 없다.

Case. 4

C병원 경영진은 정기적인 회식에 대하여 구성원과 다른 인식을 하고 있었다. 맛있는 음식과 술도 먹고, 서로 인사도 할 수 있어서 다들 좋아하고, 구성원 간의 화목을 도모하고 있다고 여겼다. 회식 폐지는 좋은 전통을 없애는 것이라며 반대했다. 하지만, 저자는 1년만 없애보고 판단하자고 설득했다. 그리고 회식 대신에 회식비로 들어갈 돈을 모아 우수직원들에게 포상을 하도록 했다. 구성원들은 싫은 일이 없어진 것만으로도 매우 좋아했고, 병원은 추가적인 비용 부담 없이 직원에게 동기부여할 수 있게 되었다.

또 다른 병원에서는 공휴일을 휴가 일수에서 제외하는 조치를 했다. 이도 매우 큰 호응을 받았다. 두 가지 모두 구성원들이 싫다고 하는 것을 과감히 바꾸거나 원하는 것을 수용한 사례다. 별것이 아닌 듯 보이는 이러한 변화들이 병원에 대한 신뢰와 충성심을 높이고, 추진하려는 혁신에 매우 우호적인 분위기를 형성했다.

경영자들은 젊은 구성원들과 성장기의 경험이 다르기 때문에 그들을 잘 이해하기 어렵다. 어쩌면 불가능한지도 모른다. 하지만 그들을 이해하지 않고 그들의 협조를 이끌어내기란 참으로 어려운 일이다. 그들과의 눈높이를 맞추는 방법이 있다. 그들 세대에서 받아들이기 어려운 문화, 그들이 이해하지 못하는 묵은 관행을 없애거나 바꿔주는 것이다. 리더는 말 그대로 이끄는 사람이다. 하지만 진정한 리더는 이끄는 역할에 그치지 않는다. 때로는 직원들이 원하는 것을 파악해 그것을 따라준다.

비전으로
역동성(Dynamic)을 살려야

조직 간의 경쟁은 단순히 조직이 가진 자원의 양으로만 결판나는 것이 아니다. 조직의 역동성이 매우 큰 역할을 한다. 역동성이 떨어지는 조직은 많은 자원과 기능을 가지고 있어도 그것들을 제대로 활용할 수 없다. 하지만 역동성이 있는 조직은 많은 한계를 극복하고 목표를 달성할 수 있다. 역량이 전반적으로 떨어지는 축구팀이라도 역동성을 발휘하여 강팀을 이기는 경우와 같다.

소위 Big4 병원 간의 긴장관계가 역동성을 만들어내던 기간이 있었다. 바로 그 기간에 우리나라 의료계의 큰 혁신들이 창출됐다. 하지만 선도적인 대학병원들은 인적자원이 고령화되고 시스템도 진부화 되는데도 새로운 비전과 전략을 설정하지 못하고 있다. 그 결과 이제는 이들 대학병원에선 역동성을 찾아보기 힘들게 되었다.

역동성은 그냥 생기는 것이 아니다. 겨울잠을 앞두고 부지런하게 도토리를 찾는 늦가을 다람쥐처럼 경영자부터 역동적으로 움직여야 한다. 비전을 세우고 알리며 각 구성원의 역할과 권한을 정해줘야 한다. 그리고 일관된 메시지와 행동으로 신뢰를 확보해야 한다.

우리병원의 비전과 전략이 제대로 수립되어 있는지 체크해 보자. 아래 5가지 물음에 긍정적인 답이 나올수록, 비전과 전략은 잘 수립되었다고 볼 수 있다.

- 3~5년 후 우리병원의 비전은 무엇인가?
- '3~5년 후 비전을 달성할 수 있는가'에 대해 긍정적인 대답이 나오는가?
- 비전을 달성하기 위한 3가지 전략이 무엇인지 답을 할 수 있는가?
- 비전을 달성할 수 있는 3가지 이유를 명확히 말할 수 있는가?
- 위 물음에 대다수의 구성원들이 동일하게 대답할 것인가?

2

전략의 생명은 실행이다

고민할 시간에 행동하라. 결과가 좋다면 다행이고 그렇지 않더라도 문제가 무엇인지 알아낼 수 있으니 해가 될 것이 없다. 문제를 해결하기 위해 자신이 할 수 있는 일을 최우선으로 생각하라. 그러면 더욱 현명하게 행동할 수 있다.

「 오마이 겐이치 」

설계를 마쳤다고 바로 집이 생기는 것은 아니다

경영은 목적을 세우고, 이를 달성하기 위한 일련의 활동이나 과정을 말한다. 국가든 조직이든 개인이든 무엇을 하려고 할 때는 이런 과정을 밟게 된다. 목표와 전략을 세우는 등 계획을 수립하고(Plan), 그것을 실행하고(Do), 실행결과 즉 성과를 측정하고 평가하여(See) 이를 계획에 다시 피드백 한다. 계획-실행-평가 그리고 또 계획으로 이어지는 순환과정을 경영사이클(Business Management Cycle)이라 한다.

높은 성과를 내기 위해서는 경영 사이클의 각 과정이 모두 충실하게 수행되어야 한다. 첫 출발은 담대한 목표와 이를 달성할 수 있는 차별화된 전략을 계획하는 데서 시작해야 한다. 그렇지 않다면 실행을 위한 시동조차 안 걸리거나 다른 조직을 따라하는 수준의 경영이 될 것이다. 경영자는 당연히 자신의 포부를 담은 병원의 중장기 발전계획을 수립해야 한다. 이는 매우 창의적이고 난이도가 높은 작업이기에 전략가가 아니라면 비전과 전략의 품질을 판단하기 결코 쉽지 않다. 전략가의 눈에는 매우 창의적이고 획기적인 전략인데도 비현실적이라며 외면받는 경우가 적지 않다. 전략은 누가 어떻게 실행하느냐에 따라 결과가 매우 달라진다. 그래서 동일한 전략이라도 실행에 실패하면 터무니없는 전략으로 치부되기도 하고, 획기적인 성과를 내면 창의적인 전략으로 칭송받기도 한다. 계획의 품질은 실행한 후의 성과에 따라 평가받는 게 운명인 것이다.

중장기 발전계획을 수립한 후 얼마 지나지 않았는데도 성과가 없다며 그 계획을 비난하는 사람들이 있다. 우물에서 숭늉을 찾는 격이다. 건축 설계를 해도 시공을 해야 건물이 만들어지듯이, 수립한 전략을 실행해야 성과로 이어질 수 있다. 아무리 좋은 중장기 발전계획도 기본적으로 계획(Plan)일 뿐이다. 실행하지 않으면 성과가 나오지 않는다. 또 실행을 하더라도 그 방식이 서투르면 부작용은 많이 발생하고 의도한 성과는 기대하기 어렵다. 추진하는 리더의 역량, 실행 조직과 예산, 실행인력의 전술적 노하우 등이 잘 어우러져야 수립된 계획이 제대로 실행될 수 있다. 그런데 이런 조건을 갖춘 병원은 그리 많지 않다.

그래서 실행력이 낮은 병원의 비전과 전략을 수립할 때는 실행가능성을 심각하게 고려할 수밖에 없다. 벽을 잡고 근근이 일어서는 단계에 있는 병원에게 청년처럼 달리는 법을 주문할 순 없는 것이다. 이렇듯 실행력이 좋은 병원에서는 충분히 할 수 있는 전략도 그럴 역량이 없는 병원에서는 현실성이 없는 전략이 될 수 있다. 이런 이유로 모두에게 맞는 비전과 전략은 존재할 수 없다.

실행력은 실행방식의 정교함(Detail), 실행 속도(Speed) 등에 따라 그 성과가 달라진다. 어떤 과제를 실행해야 한다고 권고하면, 대부분 병원들은 자신들도 다 아는 것이고 또 다 해봤다고 한다. 이는 수학을 40점 맞은 학생이 나도 수학 공부를 해봤다고 말하는 셈이다. 비서가 전화를 받는 것, 강사를 초빙해서 강의를 듣는 과정, 콜센터의 운영과 같이 사소하게 여기는 분야조차도 병원에 따라 엄청난 성적 차이가 난다. 진료과정, 시설개선, 구매방식과 같은 과제나 더 나아가 전문화, 증축, 신설병원 추진 등에서는 더욱 큰 차이가 난다.

그나마 익숙한 과제는 전략에 따라 실행하는 시늉이라도 하지만, 지금까지 해보지 않은 참신한 과제는 어디부터 어떻게 시작해야 할지 모르는 경우가 허다했다.

병원이 경영전문가와 함께 계획을 세운 후, 그들의 힘을 빌리지 않고 직접 실행하면서 기대했던 성취를 이뤄내지 못하는 사례가 적지 않았다. 전략을 잘 수립했어도 실행하면서 어이없는 일들이 발생하곤 했다. 매우 쉬운 과제조차 일의 순서를 뒤집거나 불필요한 언사와 소통의 미흡으로 인해 엉망으로 만들기도 했다.

전략계획이 수립된 후 막상 실행하려면 장애요인이 많기 마련이다. 이를 극복할 의지는 물론이고 경험에서 나오는 역량과 노하우가 필요하다. 수술을 해보지 않은 의사가 설명만 듣고 수술을 잘할 수 없다. 수술을 잘하기 위해서는 이론적으로 많이 아는 것 뿐 아니라, 숙련된 의사가 수술하는 것을 참관하거나 보조하면서 경험과 노하우를 배워야 하는 것과 같은 이치다. 그래서 경영자들은 계획에 신경을 쓰는 것 못지않게 실행역량을 보강하는 데 많은 관심과 투자를 쏟아야 한다.

계획 수립(Plan)과 실행(Do)에 이은 과정은 평가(See)이다. 평가는 계획과 실행결과인 성과를 측정하고 평가하여 다음 계획에 반영하는 것이다. 실행이 미진할수록 실행결과에 대한 평가가 더디게 이뤄지는 등 평가를 소홀히 하기 쉽다. 공부

잘하는 학생은 시험을 끝내자마자 채점을 하고 틀린 문제들을 풀어본 뒤 놀러 가지만, 공부 못하는 학생들은 아예 채점할 생각조차 않는 것과 유사하다.

하지만 실행을 잘했든, 잘하지 못했든 상관없이 분기, 반기, 년 단위로 세웠던 계획의 성과를 정기적으로, 적시에 평가하고 이를 다음 단위의 후속 계획에 반영해야 한다. 선진조직은 3개년 계획을 세우고 1년이 지나면 그로부터 다시 3년을 계획하면서 지난 계획을 수정·보완하고 마지막 3년 차를 추가한다. 그래서 매년 완전한 3개년 계획을 가지고 있다. 하지만 대부분의 병원들은 3개년 계획을 잘 세우지도 않지만, 세운 경우에도 1년간 계획을 지키려고 하다가 흐지부지하고 만다. 그러다 3년이 지난 후 별도의 3개년 계획을 수립하곤 한다. 매번 방학이 되면 생활계획표를 세운 뒤 며칠 지나면 보지 않는 학생과 크게 다를 바 없다.

모든 계획과 실행은 그 성과를 주기적으로 점검하고 수정·보완함과 동시에 후속 계획이 다시 수립돼야 한다. 이 같은 기본원칙을 지키는 것이 선진병원으로 가는 첫걸음이라고 할 수 있다.

갈대는 흔들려도
경영자는 흔들리지 않아야

전략을 수립하면 경영자는 큰 기대감에 가슴이 설렌다. 하지만 현실적인 걱정도 동시에 든다. 전략을 실행하려니 자금이 본격적으로 들어가야 하고, 변화로 인한 조직 구성원들의 반발도 우려된다. 이런 상황에 봉착하면 경영진의 마음이 흔들리곤 한다. 실행을 지연시키면 당장의 자금투입이나 저항을 피할 수 있다는 유혹이 생긴다. 실패할 때 발생할 손실에 대한 두려움도 스멀스멀 올라올 것이다.

변화를 주면 저항은 있게 마련이다. 특히 특정 직종의 처우나 근무조건에 영향을 미치는 사안이라면 저항이 클 수밖에 없다. 이런 경우 가장 중요한 것은 도입하려는 제도에 대한 공감대 형성이다. 실행함으로써 얻어질 실익을 논리와 근거를 가지고 당사자들에게 제시하고 설득해야 한다. 그래야 그들이 수긍할 뿐 아니라 성과로 이어질 수 있다.

하지만 경영자들은 개개인을 만나서 설명하고 이해를 구하는 것을 부담스러워하거나 싫어한다. 그래서 뒤로 빠지고 다른 이에게 미루는 경향이 있다. 일반 보직자가 주도하는 설득 작업은 경영자가 하는 것에 비해 효과가 떨어지고, 그 결과 목소리 큰 사람들의 의견을 수용해야 하는 상황에 봉착할 수 있다. 이럴 때 어정쩡하게 타협하는 경영진들은 '형평성'이라는 핑계를 곧잘 댄다. 잘하는 직원이든 못하는 직원이든 가리지 않고 비슷하게 대우하겠다는 건데, 이는 혁신의 싹을 일부러 밟는 것과 마찬가지다.

경영자가 먼저 생각을 바꾸고 솔선수범해야 하는 일들도 많다. 자신이 먼저 헌신하고 나부터 바뀌어야 한다는 생각을 갖고 있어도 그동안의 습관에 익숙해서 자신을 변화시키기는 쉽지 않다. 마치 금연이나 다이어트가 건강에 좋다는 것을 다 알면서도 성공하는 사람은 별로 많지 않은 것과 같다.

모 병원에서 진료영역의 전문화를 위해 공간이 필요했지만, 용적률이 다 차서 증축을 할 수 없었다. 병원장은 지하 2층의 창고를 수리하여 자신의 집무실을 옮기기로 했다. 그러자 모든 보직자와 행정직원들도 사무실 줄이기에 동참하면서 진료공간이 충분히 확보되었다. 이 병원은 그로부터 반

년도 되지 않아 전문화를 본격적으로 추진할 수 있었다.

모 병원장은 모든 것을 직접 챙겨야 직성이 풀리는 분이었다. 보직자를 활용하지 않고, 자신이 편한 시간에 빨리 볼 수 있거나 먼저 연결되는 사람을 선호한다. 급한 마음에 직접 실무자나 외부의 다른 사람들과 소통하고 결정하는 것이다.

이런 의사결정 형태가 시스템 구축과 조직문화 활성화의 가장 큰 장애였다. 그래서 저자는 경영회의, 부서장 회의 등 정기적인 소통체계를 정상화하고 업무지시는 상급자를 통하는 게 좋겠다고 권했다. 그 후 병원장은 보직자를 배제하는 의사결정 방식을 바꾸었고, 구성원들은 크게 환영했다.

새로운 목표를 위해 자신의 불편을 감내하는 조치를 하고 자신에게 익숙한 습관을 바꾸는 것을 자기혁신이라고 한다. 이는 누구에게나 어렵다. 누구에게 강요당하는 처지도 아니고 꼭 하지 않아도 되는 경영자에게는 더욱 어려운 것일 수 있다. 실제로 자기혁신을 했던 경영진은 아무리 많이 잡아도 20%에 지나지 않았다. 하지만 그분들의 자기 혁신은 전략 실행의 막강한 원동력이 되었다.

경영자는 자기 혁신도 부담스럽지만 밀려들 평가와 비판, 저항 등으로 고민하는 시간이 길어진다. 그럴 때는 비전과 전략을 구상하면서 품었던 확신이 갈수록 희미해진다. 경영은 유연하게 해야 한다며 이미 수립한 전략을 어정쩡하게 변형하여 실행할 가능성이 높다. 이런 행태는 '장고 끝에 악수를 두는 것'이다.

유연성과 '바람 앞의 갈대'는 분명히 다르다. 맞바람을 맞으면서도 전진할 수 있어야만 진정한 경영자다. 어정쩡한 타협안은 하지 않는 것보다 못한 경우도 적지 않다.

숙제를 피하고 미루면서 시간을 흘려보내면 상황이 더 나빠진다는 것을 과거 많은 병원의 역사는 말하고 있다. 실행을 망설이지 말고, 발생할 위험을 줄이거나 없애는데 더 집중해야 한다. 경영자는 지금 당장 큰 문제가 없어도, 이대로 간다면 1년, 3년 후의 병원이 어떻게 될지를 예상하며 마음을 다잡아야 한다. 수립된 비전목표와 전략을 수시로 점검하고, 경영자의 임무와 그 임무를 수행하는데 필요한 자세를 돌아봐야 한다.

성과를 원한다면
실행에 투자해야 한다

전략을 실행하는 과정은 수술과 비슷한 측면이 있다. 수술하는 법을 자세히 써놓은 교과서가 있더라도 경험 없는 의사는 그것만 보고선 수술을 잘 해낼 수 없다. 이와 비슷하게, 훌륭한 전략보고서가 있어도 미숙한 경영자는 제대로 실행하지 못한다. 수술 방법을 아무리 자세하게 써두어도 수술실에서 일어나는 응급 상황에 대한 대처까지 일일이 기술하기는 어렵듯이, 아무리 잘 짜인 전략보고서라도 실행 과정에서 발생하는 다양한 변수까지 일일이 실행지침에 넣기는 어렵다.

전략의 실행은 수술보다 훨씬 복잡하다. 수술대에 오른 환자는 움직이지 않는다. 의사는 환부를 도려내면 된다. 그런데 경영의 대상은 사람이다. 자신의 이해관계를 고려해 대응을 한다. 반발하고 저항하더라도 우리병원의 구성원이라서 함부로 내쫓을 수도 없다. 대부분의 전략은 실행하는 데 꽤 오랜 시간이 소요된다. 그렇기에 돌발변수가 수술보다 훨씬 많다. 상황의 변화에 따라 수시로 전략 실행의 순서나 방식을 수정·보완해야 하는 건 이 때문이다.

이처럼 어려운 전략 실행의 성공률을 높이기 위해서는 경영자를 도와서 전략을 수행할 조직과 인력 그리고 예산이 필요하다. 일반적으로 중소병원은 필수적인 행정인력도 부족하여 현업의 업무를 해나가는 것만으로도 힘에 부치는 게 현실이다. 그래서 혁신적으로 추진해야 할 일들이 오히려 뒷전으로 밀려서 적기를 놓치고 만다. 대학병원은 인력구성에서는 중소병원보다는 낫지만, 일상적인 업무 중심으로 돌아가기는 매한가지고, 조직도 크고 구성원들도 다양해 실행의 애로사항은 더 많다.

기존의 조직에 추가적으로 부담을 지우는 방식은 성과를 내기 어렵다. 따라서 수립된 전략의 성격에 따라 기존 조직에 적절히 분담시키거나 새로운 조직을 만들어야 한다. 수립된 전략은 성격에 따라 이렇게 구분할 수 있다. 새롭게 시도하는 것, 기존 업무지만 여러 부서에 연계된 것, 기존 업무를 새롭게 하는 것 등이다.

먼저 새롭게 추진하는 과제를 위해서는 병원장 직속이거나 기획실 산하에 미래전략팀(가칭)을 만들어야 한다. 전체 전략의 일정을 관리하고, 진행과정을 조율하는 역할도 수행해야 한다. 미래전략팀에는 전략을 수립할 때 참여한 인력과 기획 관련 경험인력 그리고 행정역량이 있는 간호사 등을 포함해야 한다. 내부공모를 통해서 먼저 필요한 인력을 충원하고, 그래도 인력이 부족하면 외부영입을 추진해야 한다.

여러 부서와 연계된 과제를 수행할 때에는 '태스크포스팀(Task Force Team)'을 구성해야 한다. 이때 혁신적인 의지를 가진 위원장과 간사를 선정하여 이들에게 상당한 수당을 지급해야 한다. 태스크포스팀에는 미래전략팀의 일원이 공동간사로서 참여하여 일정관리와 함께 전체적인 조율을 할 수 있도록 해야 한다. 마지막으로 기존 업무를 새롭게 개편하는 실행 과제는 기존에 그 업무를 수행하던 조직에 맡기면 된다. 다만 부서별 평가를 할 때 새롭고 생소한 일을 맡은 점을 감안해야 한다.

전략 실행에 참여하는 구성원들에 대한 배려가 필요하다. 어느 조직에서든 혁신적인 일을 수행하는 것은 낯설고 고되다. 시간에 쫓기거나 노하우, 자신감도 없을 수 있다. 성과가 날 때마다 다양한 방식의 보상을 제공해 이들을 격려해야 한다. 금전이든 명예든 휴식이든 그 방식은 많을수록 좋다. 전략 실행을 위해 추가시간을 투입하고 남들의 비난도 감수해야 하는 그들의 사정을 도외시하면 전략 실행의 성공률은 떨어질 수밖에 없다.

내부 역량만으로 전략을 실행하기 어려울 때는 외부의 경영 전문가를 통해 보완해야 한다. 전략계획을 함께 수립한 외부 전문가들과 장기적이고 지속적인 관계를 형성하여 프로젝트 후에 실행과정에서 그들의 협조를 이끌어내는 것도 좋은 방법이다. 그들은 경영환경이 바뀌었을 때 전략 수정을 돕고, 필요하다면 전략 실행의 세부안을 변경하고, 객관적인 입장에서 구성원과 경영자에게 지속적으로 확신을 심어주는 등 경영의 동반자 역할을 할 것이다.

기업에서는 전략프로젝트를 수행한 후 대표적인 실행과제들을 고른 후 새로운 프로젝트를 연이어서 하는 경우가 많다. 계획을 세움과 동시에 실행까지 외부 전문가들과 함께 하기 위해서다. 이 방식이 아닐 경우에는 프로젝트 종료 후 프로젝트 관리조직인 'PMO(Project Management Office)'를 만들어 수립된 전략을 실행하면 된다. 이 경우 전략 수립에 참여한 컨설턴트가 PMO에 파견돼 의사결정을 돕기도 하고, 의사결정 권한을 부여받기도 한다.

각주구검(刻舟求劍)의 우(愚)를 범하지 말아야

우리나라는 정치, 경제 할 것 없이 거의 모든 분야에서 어느 나라보다도 변화가 빠른 편이다. 병원의 경영환경도 예외가 아니다. 특히 법과 제도의 변화에 따른 파급효과는 직접적이고 강력하다. 최저임금 상승과 주 52시간 제도의 도입, 비정규직의 정규직화 등은 인건비 부담을 가중시킨다. 기존의 근무형태를 바꾸지 않으면 야간근로 및 휴일근로수당이 기본급만큼 나오기도 한다. 퇴직한 직원들이 연장, 휴일근로수당, 연차 및 퇴직금에 대해 병원을 상대로 진정을 넣거나 소송을 제기하기도 한다. 병원은 승소하기 위해 상당한 신경을 쓰거나, 합의를 해도 상당한 비용을 지불한다.

부정청탁금지법(김영란법) 등은 공정경쟁과 내부고발자에 대한 권익보호를 규정하고 있다. 보호만 하는 것이 아니라

고발로 인한 정부의 예산절감액이나 부과한 과징금의 일부 금액을 보상하고 있다. 리베이트나 대리수술 등 불법사항도 골치 아픈 변수다. 구성원 또는 거래처와의 관계가 악화되거나 다른 사건에 연루된 회사로 인해 불법 문제가 제기되는 등 예상치 못한 상황으로 번지기도 한다. 이럴 경우 터무니없는 요구를 받게 되어도 어디에 가서 하소연을 하지 못할 상황에 시달릴 수 있다.

기술발전에 따른 변화도 있다. 정보기술, 통신기술, 장비나 디바이스 등의 발달은 물론 각종 업무나 진료과정에서 큰 영향을 미치고 있다. 과거에는 무인수납기를 설치해도 고령의 고객들이 활용하지 않았다. 하지만 이제는 다들 익숙해져 무인수납기 이용률이 수납의 절반을 넘는 실정이다. 온라인 예약이 편리해져서 아예 원무과 직원을 거치지 않고 바로 진료하는 경우도 많다. 이런 변화에 대비하지 못한 병원은 아직도 접수증을 인쇄하여 고객들에게 나눠주고 불필요한 고객 안내와 설명을 위해 많은 추가 인력을 투입하고 있다.

주변에 경쟁병원이 들어서거나 증축을 하고, 의료정책이 바뀌는 등 언제 어떤 변화가 찾아올지 모르는 게 병원의 경영

환경이다. 전략을 실행할 때의 상황이나 여건이 전략 수립 당시에 비해 바뀌었다면 전략도 당연히 수정되어야 한다. 하지만 전략 수정이 쉽지 않은 것도 사실이다. 그래서 '지금 환경이 바뀌었으니 과거 수립한 전략이 맞지 않다'는 이유로 방치하거나, 과거의 전략을 그대로 추진하는 경우가 있다. 어느 경우든 원래 의도한 성과를 기대하기는 어렵다.

이는 각주구검(刻舟求劍)의 우(愚)를 범하는 것이다. 배를 탄 채 칼을 물속에 떨어뜨렸는데 뱃전에 빠뜨린 자리를 표시했다가 배가 정박한 뒤에 칼을 찾으려 하는 것과 다를 게 없다. 강물이 흐르면 배의 위치가 달라지는 것처럼 세월이 흐르면 상황과 해답이 달라진다. 각주구검의 우를 범하지 않으려면 전략을 수립할 때 향후 전략 실행에 대비해 병원 내 적절한 인력을 전략 수립 과정에 적극적으로 참여시켜야 한다. 그래야만 환경이 바뀌어 전략을 수정, 보완해야 할 때 용이하게 대처할 수 있다.

3

리더가 변해야
획기적인 성과가 따라온다

리더가 되고싶다면, 강해지되 무례하지 않아야 하고, 친절하되 약하지 않아야 하며, 담대하되 남을 괴롭히지 않고, 사려가 깊되 게으르지 않고, 겸손하되 소심하지 않고, 자신감을 갖되 거만하지 않고, 유머를 갖되 어리석지 않아야 한다.

「 짐 론 」

가장 많이 바뀌어야 할 사람은 누구?

"병원을 혁신하려면 누가 가장 많이 바뀌어야 한다고 생각합니까?" 강의나 컨설팅을 하면서 저자는 병원 구성원들에게 이런 질문을 자주 던진다. 답변은 독자 여러분이 짐작한 대로다. 병원의 모든 직종에서 '경영자'라는 답변이 가장 많다. 평균 55%나 된다. 그다음으로 많은 답변은 '의사'로 21%다(그림 2).

그림 2. 변화가 필요한 대상에 관한 설문분석 결과[1)]

Q. 혁신을 위해 변화가 필요한 대상은 누구입니까?

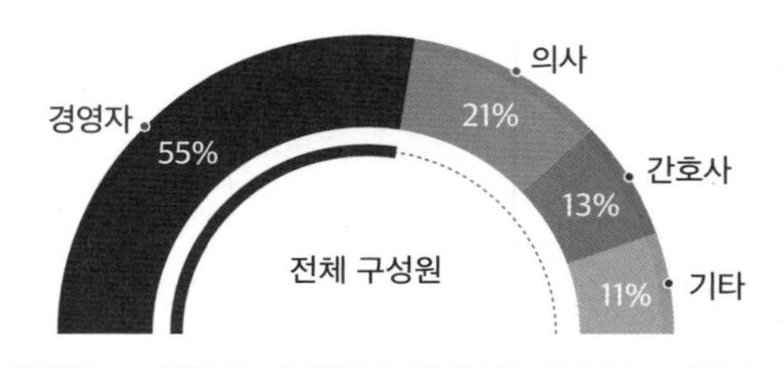

직종별로 보면 경영자를 제외하고 가장 많은 답변은 '다른 직종'이고, '내 직종'은 최하위이다. 요컨대 나보다 남이 먼

저 변해야 하고, 그중에서도 경영자가 가장 크게 바뀌어야 한다는 것이다. 어느 분야를 막론하고 혁신을 시도할 때 가장 큰 각오를 해야 할 사람이 최고 의사결정자이다. 그런데 그렇게 생각하는 경영자가 실제로는 그리 많지 않다. 대부분의 경영자는 학창시절이든 사회생활에서든 크고 작은 성공경험을 쌓은 분들이다. 자신에 대한 확고한 자신감이 있다. 그래서인지 경영이 잘되지 않을 때는 그 원인을 자신의 경영방식보다는 의료정책이나 구성원의 문제로 돌리는 경향이 있다.

경영자는 이런 흐뭇한 상상을 할 법하다. '직원들의 태도가 갑자기 바뀌었다. 병원 시설은 열악하고, 보수가 경쟁병원에 비해 낮은데도 모든 직원이 아랑곳 않고 진료나 각자의 업무에 열심이다. 일찍 출근해 늦게까지 일하며 환자에게 친절하기까지 하다. 병원의 진료수익도 높아졌다.' 이런 기적적인 상황이 일어나기도 어렵지만, 설령 있다고 해도 오래가지 못한다.

직원들이 열심히 하는 것만으로는 한계가 있기 때문이다. 직원들도 열심히 해줘야 하는 것이지, 직원만 열심히 한다고 해서 최고의 병원이 되는 것은 아니다. 경영자가 스마트한 경영을 해야 한다. 전문화를 위한 진료영역의 인력과 예산의 배분, 첨단장비의 도입 여부, 구매방식의 혁신, 브랜딩 전략, 편의사업의 구조 등 전반적인 수익모델을 최적화해야 한다. 이런 결정이 병원의 미래를 좌우한다. 경영자는 직원들의 '헌신적인 자세'를 요구하기에 앞서 그들이 무엇을 어떻게 열심히 해야 하는지 알려주고, 그 열심을 이끌어내는 방법을 고민하고 실행에 옮겨야 하는 것이다.

저자의 경험상 아무리 재정적으로 위급한 상황에 처한 병원도 회생할 수 있는 해답은 찾을 수 있었다. 하지만 답안지를 받아도 문제를 풀지 못하는 경영자들이 있다. 그들에겐 3가지 특성이 있다. 첫째 남의 탓만 한다. 둘째 자신의 방식과 경험을 고집한다. 셋째 외부 전문가와 협의하여 결정한 뒤에도 전문성이 없는 주변 사람들의 말을 듣고 결정을 유보하거나 번복한다.

모든 경영요소 중 성과에 가장 폭넓은 영향을 주는 것이 리더십이다. 리더십은 중요한 만큼 변화시키기도 어렵다. 혁신하기가 극히 어려운 분야다. 기존에 형성된 거버넌스를 바꾸기 어려울 뿐 아니라 자신에 대해 엄격한 자세를 유지하고, 자기혁신을 꾸준히 하는 리더가 그리 많지 않기 때문이다.

리더십 혁신을 위한 조건들

리더십이 발휘되기 위해서는 역량 있는 사람이 경영자가 되어야 하고, 이들이 소신껏 일할 수 있는 기본적인 여건이 갖추어져야 한다. 대학병원은 과거에 경영경험이 없는 분들이 병원장을 하는 경우가 많았으나, 최근에는 주요한 보직경험이 있는 분들 중에서 선임된다. 다행스러운 일이다. 이는 그동안 책과 강의를 통해 저자가 계속 주장해왔던 바이다.

그런데 리더십을 발휘할 구조는 아직도 너무 취약하다. 짧은 임기, 낮은 처우와 권한은 일부 사립대학교 병원을 제외하고 크게 개선되지 않고 있다. 2, 3년 단위로 이루어지는 경영진의 잦은 교체는 경영의 전문성과 일관성의 결여를 초래한다. 이는 경영자 개인의 애로에 그치는 것이 아니라 병원과 환자에게도 큰 손실과 불편을 끼친다. 연세의료원이 의료원장 임기를 2년에서 4년으로 늘린 것은 의료계의 미래를 위한 큰 결단이다. 이러한 조치가 의과대학과 병원의 모든 보직자에게 확산되어야 한다.

중소병원은 보통 창립자나 창립자의 2, 3세가 경영을 하고 있다. 주인의식이 투철하고 열정적으로 일한다. 그들의 경영 역량은 단순하게 평가할 수 있는 문제가 아니다. 다만 병원이 성장함에 따라 그에 걸맞은 경영을 배워야 하는데, 과거의 성공방식을 그대로 유지하는 경향이 있다. 200병상의 병원경영과 400병상, 600병상의 병원경영은 차원이 다르다는 인식이 적어 보인다.

중소병원 경영자는 대학병원과 다르게 별다른 견제 없이 리더십을 발휘할 수 있다. 그래서인지 창립자를 비롯한 오너 경영자가 사소한 일까지 개입하는 경향이 있다. 의사결정 권한이 과도하게 집중되어 경영자의 머릿속에 다양한 생각이 들어올 여지도 적고, 병원에서 각 직종의 소규모 리더십이 발휘되기도 어렵다. 무엇이든 크게 모자라거나 많이 넘치는 것은 그 어느 쪽도 바람직하지 않다. 대학병원은 리더십의 여건을 더 강하게 만들어야 하고, 중소병원은 리더십을 보완할 적절한 절차를 마련해야 한다. 특히 대학병원의 병원장 임기와 연임에 대한 규정이 시급히 개선되어야 한다.

해외 선진기업의 경영자는 물론 미국 Top 5 선도병원[2]의 병원장 재임기간을 보면 10년을 훌쩍 넘어서는 경우가 대부분이다. 메이요 클리닉의 전임 병원장인 John H. Noseworthy는 8년을 재임했고, 세다스시나이 메디칼센터의 현 병원장인 Thomas M. Priselac은 20년째 재임하고 있다. NYU 랑곤병원의 전임 병원장이었던 Saul J. Farber는 33년을 재임했고, 현 병원장인 Robert I. Grossman는 16년째 재임하고 있다. 클리블랜드 클리닉의 전임 병원장이었던 Toby Cosgrove는 13년, 존스홉킨스병원의 전임 병원장인 Ronald R. Peterson는 20년을 재임하였다.[3]

그런데 우리나라는 서울대병원[4]을 비롯하여 지방 국립대병원[5]도 설치법에 병원장의 임기는 3년으로 하되 한 번만 연임할 수 있다고 연임 횟수를 제한하고 있다. 과거에는 정권이 바뀌어도 박용현, 성상철(서울대병원), 장영일(서울대치과병원), 김영곤(전북대병원), 김상림(제주대병원) 병원장과 같이 연임되는 사례가 적지 않았고, 연임한 병원장의 성과는 탁월했다.

그런데 최근에는 성과에 관계없이 연임시키지 않고 있는데, 이는 리더십의 퇴행을 가져와 국립대병원의 경쟁력 하락을 초래하고 있다. 국립대병원장은 정치색이 강한 자리가 아니다. 정권 교체와 무관하게 성과가 좋은 병원장을 연임시켜 재임(再任), 3연임(三連任)을 하는 병원장이 많아야 한다. 그것이 국립대병원을 살리는 길이다. '한 번만 연임할 수 있다'는 규정에서 '한 번만'을 삭제하여 연임 제한을 없애야 한다. 국립이든, 사립이든 장기적 안목으로 일할 수 있는 구조를 만들어놓아야 리더십을 발휘할 수 있는 기간을 늘리고 레임덕을 줄이게 된다. 사립대병원은 대부분 2년 임기인데, 최소한 연세의료원 의료원장 임기인 4년 수준으로 늘려야 한다.

미국 Top 5 선도 대학병원의 병원장 중 비의료인이 절반에 이르고 있다. 우리나라 대학병원의 병원장 자격요건도 보완되어야 한다. 현재 국립대병원의 병원장은 의과대학의 교원으로서 10년 이상의 교육경력이 있는 사람과 의료인으로서

10년 이상의 의료경력이 있는 사람으로 한정[6)]하고 있다. 비의료인을 원천적으로 차단하고 있는 것이다. 우리나라에서 비의료인이 병원장을 하는 것이 가능하겠느냐고 반문할 수 있지만, 이미 수도회에서 운영하는 병원에서는 성직자가 병원장이 되기도 한다. 국립대병원의 병원장 요건 중에 의료인의 요건을 삭제해야 한다. 병원경영을 잘하는 전문경영인의 등장을 원천봉쇄할 이유가 없다.

경영을
즐겁게 하는 법

대학병원 병원장은 될 때만 좋고, 그다음 날부터 괴로움의 연속이라는 말을 많이 듣는다. 교수들의 협조를 구하기도 어렵고 노조와의 협의도 너무 힘들다고 한다. 경영을 잘해도 알아주는 사람도 없고, 보상을 더 받지도 못하고, 권한이 더 생기는 것도 아니고, 재임된다는 보장도 없다.

중소병원의 경영자 역시 권한은 많지만 괴롭다고 말하기는 매한가지다. 수익성이 좋지 않아 매달 급여 걱정을 하고, 의사나 간호사 수급 문제로 머리가 아프고, 사건사고가 많아 병원에 바람 잘 날이 없다고 한다.

대부분의 병원경영자는 모든 게 '걱정'이다. 이번 달은 문제가 없어도 다음 달을 걱정하고, 올해는 문제가 없을 것 같아도 내년을 걱정한다. 이래저래 경영하기가 쉽지 않고, 행복하지 않다고 여긴다. 얼굴이 어둡고, 표정이 심각하며, 말이 부정적인 분들을 흔히 볼 수 있다. 신나게 일하는 병원장, 행복한 병원장은 가뭄에 콩 나듯 찾아보기 어렵다.

자신이 처한 병원의 상황에 따라 경영자가 행복해지는 방식이 달라질 수 있다. 잘 나가는 병원의 경영자는 '내가 아니어도 병원은 잘 될 텐데 이런 병원을 경영하는 게 무슨 의미가 있나'라고 생각할 게 아니다. 우리나라에서 유일무이한 가치를 지닌 병원을 만들겠다는 담대한 목표를 세워보자. 다른 병원과는 비교할 수 없이 높은 가치를 지닌 병원을 만들어 보는 것이다. 생존을 걱정해야 하는 병원이라면 '이런 병원을 아무나 살릴 수 있나? 나니까 살리지'라고 해보자. 환자에게는 좋은 진료를, 구성원에게는 고용안정이라는 성과를 조기에 확보하는 실력을 보여주겠다는 동기부여가 될 것이다.

우리나라가 세계의 중심국가가 될 수 있는데, '정치'가 발목을 잡고 있다고 아쉬워하는 사람들이 있다. 그런데 우리나라 조직들의 행태는 정치보다 수준이 높을까?

윗사람이 헌신하기보다 사익을 챙기고, 자신이 한 말을 지키지 않으면서 다른 사람에게는 지키기를 강요한다. 자신에게 아부하는 사람들을 좋아하고, 조직 내에 계파를 만든다. 많이 기여하고 실력 있는 사람을 인정하지 않고 이들이 오히려 비난받는 환경을 방치한다. 구성원의 입장을 생각하지 않고 그들의 조직생활과 생계에 영향을 미치는 제도를 멋대로 바꾸고, 심지어 막말을 하거나 하대까지 한다. 정치를 비난하면서 자신이 운영하는 조직은 정치권 행태와 다를 바 없거나 그보다 못한 경우가 적지 않다.

정치인을 비난하기에 앞서 자신이 경영하는 조직을 정치판보다 훨씬 낫게 만들어야 한다. 그 첫걸음은 병원장이 뗄 수밖에 없다. 병원장의 생각, 말, 행동이 병원의 시스템과 구성원의 행복에 결정적인 영향을 주기 때문이다.

경영자가 누릴 혜택을 좀 덜 누리고, 자신의 말에 대해서는 책임지는 모습을 보이자. 아부하는 사람을 멀리하고 능력 중심으로 인사를 하고, 조직 내 편 가르기 문화를 바꾸자. 조직에 더 많이 헌신하고 기여하는 사람을 존중하고 우대하는 시스템과 분위기를 만들자. 가정이 어렵거나 직장 내 소외받는 사람을 격려하고 인정받을 기회를 주자. 새로운 제도를 만들 때는 구성원의 의견을 수렴하여 그들이 존중받고 있음을 알려주고, 그들의 자존감과 자긍심을 올려줄 수 있도록 노력하자. 그들의 헌신에 감사하고, 그들의 잠재력을 격려하고, 그들의 선한 의도를 칭찬하자. 우리병원을 선진조직으로 만드는 것은 경영자의 권리이자 의무다.

병원장의 상당수는 병원 내부문제에 시달리다가 임기를 끝낸다. 하지만 병원장이 되었기 때문에 얻을 수 있는 것은 병원장이라는 명예 말고도 참으로 많다. 병원장은 병원의 위상과 체급을 올리기 위해서는 보다 스케일 있는 계획을 가지고 높은 지위와 명예 그리고 재력을 가진 분들과 만나야 한다.

병원장은 보통사람들이 우러러보는 직함이다. 그의 말에는 권위와 신뢰가 실린다. 그래서 일반인들이 쉽게 만나지 못하는 다양한 분야의 최고 인재와 명사들을 어렵지 않게 만날 수 있다. 밖에서 훌륭한 인사들과 교류하면 그들을 병원의 큰 우군으로 만들 수 있고 경우에 따라서는 의기투합한 인사와 평생의 인연을 맺는 계기가 되기도 한다. 대외적인 활동을 통해 병원장 자신부터 많은 배움과 교훈을 얻고 사회적으로 성장하고 영향력이 커지는 것을 느낄 수 있다.

그런데 이런 좋은 기회를 잡고도 병원 안에서 직원들과 실랑이 하면서 대부분의 시간을 소모하는 것은 너무 안타까운 일이다. 병원이나 자신을 위해서도 도움이 되지 않는다. 병원장이 되면 빠른 시일 내에 조직체계와 일하는 방식을 정비하여 밖으로 나가서 더 폭넓게 행보해야 한다. 병원의 위상과 이미지를 높이고, 사회봉사 활동을 하고, 기부금을 받고, 공공부문의 정책지원을 받아야 한다.

병원장으로서 자신과 조직의 발전을 위해 맘껏 일할 수 있는 것에 대해 감사하는 마음을 가진 분이라면 외부 활동을 자연스럽게 받아들일 수 있다. 그렇지 않은 분은 외부 활동이 고달프게 보일 뿐 의욕이 쉽게 우러나오지 않을 것이다. 하지만 고달프게 보이는 그 길에 맘먹고 뛰어들어야 자신과 병원 모두를 만족케 하는 커다란 보석을 찾을 수 있다.

지방 대형병원의 경영자가 느껴야 할 부채의식

지방에서 중증질환이라고 판단되면 바로 옆 대학병원(대형병원)을 두고도 서울에 있는 병원을 찾아 나선다. 환자는 물론이고, 지방의 대학병원 경영자들도 이를 당연하게 여기는 경향이 있다. 일부 의사들은 자신의 병원에서도 잘 할 수 있는데, 환자들이 지방병원을 무시하는 것 아니냐고 서운해하기도 한다.

그런데 환자 입장에서 생각해보자. 모든 것이 익숙하지 않은 외지에 가서 외래진료를 받고, 입원하는 것은 결코 쉬운 일이 아니다. 가족이 아파 걱정되는 상황에서 환자를 모시고 서울을 오르내려야 한다. 간병을 해야 하는 가족은 생업을 뒷전에 두고 따라가 병원 주변에서 숙식을 해결해야 한다. 퇴원 후에도 방사선 치료를 받기 위해 환자와 보호자들은 이른바 '환자방'으로 불리는 병원 주변의 열악한 주거시설에서 머무르기도 한다. 이런 고생을 감내하는 것이 단순히 서울을 선호하는 경향 때문이라고만 볼 수 있을까?

많은 명의들이 희귀질환이나 간이식, 심장수술 등 일부를 제외한 대부분의 진단과 수술에 있어서 대학병원 의사의 실력은 서울과 지방 간에 큰 차이가 나지 않는다고 말한다. 그럼에도 지방에 있는 환자들이 막상 병이 생기면 너나없이 서울로 가는 이유는 무엇일까?

지방에서 서울의 대형병원을 찾은 환자들은 '수술을 잘한다, 병원의 시설이 좋다, 의사와 간호사 등이 친절하고 절차가 편리하다' 등의 경험담을 말하곤 한다. 그중에서도 질환의 특성이나 진료계획을 잘 설명해주기 때문에 마음이 편했고 상황에 맞는 결정을 할 수 있었다는 점을 강조한다. 그것은 실력이 월등하지 않아도 환자 입장에서 진료를 해주는 의사를 환자들이 선호한다는 것을 의미한다. 중증환자는 누구나 지금의 건강 상황이나 향후 진료계획 등을 매우 궁금해한다. 그렇지만 의료진이 이를 설명해주지 않으면 궁금한 게 있어도 물어도 되는지, 어떻게 물어야 할지를 고민한다.

이런 상황이 환자나 그 가족에겐 너무 큰 고통이다. 하지만 지방에 있는 대부분의 대학병원은 이런 점에 무심한 편이다. 많은 환자와 그 가족들이 이런 요구를 해도 진료하는 절차와 방식을 바꾸지 않고 귀조차 기울이지 않는 경향이 있다. 이에 반해 서울에 있는 병원들은 이를 해소해주려는 노력을 꾸준히 해왔고, 그로 인해 지금까지 적지 않은 변화가 있었다. 이는 지방의 대학병원을 들렀다 서울의 대형병원을 찾은 환자들이 공통적으로 말하는 점이다.

지방의 대학병원이나 대형병원은 과거 지역민의 자랑이었고, 지역민의 많은 사랑을 받아 성장했다. 지금도 그 지역에서는 가장 직원수가 많고 가장 좋은 직장 중 하나일 것이다. 게다가 지역경제가 활성화되기 위해서는 우수 인재를 유치할 수 있어야 하는데, 이를 위한 핵심조건이 좋은 의료시설과 우수 인재를 양성하는 교육기관의 존재유무이다.

그렇기에 환자가 서울로 유출되는 것을 당연하게 받아들일 일은 결코 아니다. 병원을 지척에 두고도 환자들이 힘들게 서울로 올라가게 하는 것은 환자 인권 차원에서도 심각한 문제일 뿐 아니라 진료비, 간병비, 숙박비, 교통비 등이 서울로 유출되므로 지역경제 차원에서 막대한 낭비다. 오히려 주변 지역에서 환자를 불러들여 경제를 활성화하고, 우수 인재들이 안심하고 유입될 수 있는 환경을 만드는 병원이 되어야 한다.

일본은 암이든 심장병이든 그 지역의 대학병원에서 진료를 받지, 도쿄에 있는 대학병원들을 찾아 신칸센을 타지 않는다. 오히려 도쿄에 있는 환자들이 신칸센으로 두 시간 거리에 있는, 대학병원도 아닌 가메다병원에 치료를 받으러 가기도 한다. 중증질환이 걸렸다고 수도에 있는 대형병원에 몰려가는 현상은 세계적으로도 매우 드문 일이다.

우리나라에서도 지방의 대학병원이 서울에 있는 대학병원보다 못할 이유가 없다는 것을 보여준 모범사례가 있다. 화순전남대병원은 광주보다 규모가 작은 화순에 있는데도 불구하고, 단번에 대부분의 암종 수술건수에서 10위 내로 진입하였다.

화순전남대병원은 지방이기 때문에 잘된 것이다. 지금 서울에 있는 어떤 대학병원도 암병원을 지었다고 해서 짧은 시간에 그렇게 많은 환자를 확보하기 어렵다. 다만 화순전남대병원은 특화전략에 성공하고도 진료과별로 나눠먹기식의 균등한 확장이라는 대학병원의 고질적 현상이 우려된다는 말이 나온다. 지금은 세계적인 암병원이 되기 위해 더욱 집중해야 할 시점이다.

지금부터라도 서울로 향하는 지역민들의 발길을 돌려세워야 한다. 최소한 서울의 중급대학병원보다는 더 좋은 병원을 만들어야 한다. 전문화영역의 수술건수, 진료성과, 의료진의 명성, 서비스 수준, 시설과 장비 등에서 서울에 있는 병원보다 더 나은 병원이 지역에서 나와야 한다. 환자 중심의 새로운 진료서비스를 실현하고, 의료산업화에 앞장서서 지역경제를 이끄는 중심병원을 만들어 그 지역에서는 없어서는 안 될 조직이라는 평판을 이끌어내야 한다. 그래야 환자들이 아픈 몸을 이끌고 타지의 병원을 찾아가는 문제적 현상을 타개할 수 있다.

우리병원이 사라지면 누가 아쉬워할 것인가?

경영은 전쟁에 많이 비유된다. 실제로 경영학의 개념 중에 군사학에서 유래한 것이 적지 않다. 전략(戰略)은 전쟁에서 이기기 위한 기술을 의미한다. 경영전략은 자신의 분야에서 경쟁우위를 차지하여 더 높은 명성과 재무성과를 얻기 위한 노력이다.

그런데 세계적 경영학자인 마이클 포터는 여기에서 한발 더 나아간 경영철학을 설파한다. 경영자의 덕목은 단순히 상대와의 경쟁에서 이기려 하는 것보다 유일한 서비스와 가치를 만들어내는 것이라고 말한다. 즉, 현존하는 가장 좋은 서비스를 넘어 새로운 서비스와 가치를 만들어야 한다는 의미이다. 그것이야말로 회사를 경영하는 보람이고, 구성원들의 자부심이 될 수 있기 때문이다.

저자도 회사를 운영하면서 이 원칙을 중심에 두고 있다. 다른 조직보다 좀 더 숙련되게, 좀 더 완성도 있게 하는 수준을 넘어서야 한다. 그렇게 하기 위해서는 다른 조직이 흉내내기조차 어려운 새로운 정신과 조직문화, 탁월한 업무방식과 독특한 도구를 개발하여 장착해야 한다. 그리고 고객은 물론 경쟁회사가 가지지 못한 무기를 만들어야 한다.

이를 위해서 당장 매출에 직접적인 도움이 되지 않아도 해외 의료계에 대한 연구를 하고, 데이터베이스를 축적하고, 품질을 높이기 위해 정보시스템을 개발하고 내부 교육제도 등에 꾸준히 투자하고 있다. 가는 길에 장애가 있어도 기꺼운 마음으로 극복할 수 있는 가장 든든한 밑바탕이 바로 이 원칙이다.

병원도 각자의 병원만이 가지는 비전과 가치를 세우고, 이를 지혜롭게 이루어가야 한다. 주변 병원보다 좀 더 나은 병원이 되기보다는 새로운 가치를 만들어 의료계의 모범이 되는 병원이 목표가 되어야 한다. '우리병원이 사라지면, 사회나 환자들이 아쉬워할 것인가?'란 물음을 던져보자.

과거 서울대병원이 가지는 의미와 가치는 명확했고, 누구도 이를 부인하지 못했다. 하지만 지금은 '서울대병원이 없어지면 어떻게 될까?'라는 물음에 꼭 있어야만 한다는 응답이 몇 %나 나올까? 또 지방에 있는 대학병원 혹은 대형병원 중에 꼭 있어야 한다는 병원이 얼마나 될까를 생각해보자. 더 나아가 자신이 운영하는 병원이 없어지면 누가 아쉬워할까를 생각해보자. 이런 물음에 지역민들이 정말 섭섭하고 아쉬워할 것이라는 대답이 자신 있게 나올 수 있어야 한다.

서울에 가지 않아도 믿고 갈 수 있는 병원, 외지의 환자가 찾아오는 병원, 조직문화가 건강하여 존경받는 병원, 의료산업화를 통해 지역경제를 일으키는 병원이 된다면, 지역민들은 그런 병원이 사라지는 것을 더없이 아쉬워할 것이다. 만약 아무도 아쉬워할 이유가 없다면, 그 병원은 자신들의 생존을 위해 존재했던 직장일 뿐이었다고도 할 수 있다. 생존만을 위한 고민은 스트레스의 연속이지만, 새로운 가치 창출에 대한 도전은 행복한 길이 될 것이다. 특히 Top 10에 들어가는 선도병원의 병원장들은 현존하지 않지만, 국내 또는 세계적으로 꼭 필요한 가치를 창출해내는 비전을 세우고, 성과를 만들어내도록 노력해야 한다.

그리고 자신이 병원장을 맡은 후 어떤 성과를 내었는지를 다음과 같은 4가지 관점에서 살펴야 한다. 첫째 새로운 가치를 위한 시도 중 무엇이 이루어졌는지, 둘째 장기적인 발전모델이 확보되었는지, 셋째 병원의 위상과 브랜드가 상승했는지, 넷째 매출이나 이익이 경쟁병원에 비해 더 높게 성장했는지이다.

임기가 있는 대학병원의 경영자들이 이 4가지 관점에서 뚜렷한 성과가 없다면, 그의 재임기간은 병원의 잃어버린 시간으로 기억될 것이다.

대학병원의 경영자는 병원의 이미지에 관심이 많으나 재무적인 성과에는 소홀한 경향이 있다. 이에 반해 중소병원의 경영자는 기본적으로 생존해야 한다는 절박감으로 늘 수익성을 염두에 둔다. 그래서 브랜드나 장기적인 발전모델, 시스템의 고도화 등 병원의 미래를 위한 투자는 소홀한 경향이 있다.

대학병원이나 중소병원 할 것 없이 모든 병원은 브랜드와 수익성이라는 두 바퀴로 달리는 자전거와 같다. 수익성이 있어도 브랜드가 좋아지지 않거나, 브랜드는 높아지는 듯해도 수익성이 없다면 지속가능한 발전이 불가능하다. 임기가 있든 없든 위에서 제시한 4가지 관점에서 매년 자신의 성과를 스스로 검증하는 경영자가 되어야 한다. 이런 과정에서 경영이 주는 큰 성취감과 행복을 느낄 수 있다.

막연한 자신감이 더 위험하다

대학병원은 차기 병원장을 예측하기 어렵다. 어떤 경우에는 경영경험이 전혀 없는 분이 병원장이 되곤 한다. 병원장을 갑자기 맡은 이런 분들은 기본적인 경영 지식을 이해하는데

골든타임을 허비하기 일쑤다. 행동이 앞서는 사람들은 바로 시행착오 모드로 들어가기도 한다. 보직이 끝나기까지 기본적인 경영 용어도 모르고, 재무제표도 읽지 못하는 경우도 허다하다. 병원들이 이런 상황을 막기 위해 홍보실장, 기획실장, 부원장을 거쳐 병원장이 되는 경력 경로를 중시하고, 교육이나 다양한 경험을 제공하려는 노력을 기울이는 것은 매우 바람직하다.

중소병원은 우수 의사 영입이나 장비 도입에는 투자를 아끼지 않는다. 하지만 정작 가장 중요한 병원장의 경쟁력을 높이는 데는 소홀하다. 오너 병원장의 주인의식은 높겠지만 그렇다고 해서 경영역량이 저절로 생기는 것은 아니다.

그럼에도 불구하고 의사 출신의 경영자들은 상당수가 경영에 대한 막연한 자신감이 있다. '내가 어려운 의학공부도 잘 했기에, 다른 분야도 잘 할 수 있다', '의료를 모르는 일반인이 경영을 하면서 의료를 배우는 것보다, 의료를 잘 아는 내가 경영을 배우는 것이 더 쉽다'고 생각한다. 학술성과가 탁월한 과학자를 연구소장에 앉히는 것은 과학자도 버리고, 연구소도 버리는 것과 같다는 명언을 떠올리게 된다. 훌륭한 의사가 저절로 훌륭한 경영자가 되는 것은 아니다. 훌륭한 의사와 훌륭한 경영자의 자질과 역량은 다른 점이 많기 때문이다.

의사라고 해서 모든 진료과나 의료의 미래를 잘 안다고 할 수 있는지에 대한 논의는 별개로 하자. 훌륭한 경영자가 되기 위해서는 경영을 배워야 하는데, 이것이 짧은 귀동냥으로 되지 않는다는 데 유의해야 한다. 의료와 마찬가지로 경영도 쉽게 볼 게 아니다. 대기업의 경영자들은 대부분 경영교육을 받았을 뿐 아니라, 승진 과정을 통해 난이도 높은 경영의 임상수업을 받는다. 그런데 의사들은 경영교육을 받지도 않았고 정교수가 되어가는 과정에서 경영에 대한 경험이 쌓이는 것도 아니다.

뛰어난 잠재력을 가진 의사는 훌륭한 경영자가 될 수 있다. 그러나 전제조건이 있다. 그도 경영을 배우고 익히기 위해 기업의 경영자들이 한 것과 비슷한 시간과 노력은 투입해야 한다는 점이다. 자신이 의료분야에서 잘 했기 때문에, 경영도 조금만 노력하면 잘 할 수 있다는 생각은 매우 위험하다. 그런 교만이 병원의 많은 구성원을 힘들게 하고, 조직을 위태롭게까지 할 수 있다.

명의일수록 난이도가 낮은 수술에서도 최선을 다하는 등 의술과 환자 앞에서 무한한 겸손의 자세를 갖고 있다. 마찬가지로 경영자는 항상 겸손하게 경영을 배우려는 자세를 잃지 말아야 한다. 큰 꿈을 이루기에 자신의 경험은 적고 지혜와 머리는 부족하다는 점을 명심해야 한다. 그래야 지식과 지혜를 책과 다른 사람으로부터 구할 수 있다. 최소한 일주일에 하루는 시간을 내어 여러 분야의 외부 전문가에게 배우고 관계자들로부터 정보나 지혜를 구해야 한다. 그리고 병원의 현안과 관련된 분야는 특히 심도 있는 학습을 해야 한다.

저자가 협력경영을 하면서 가장 효과가 좋았던 학습방법은 바둑처럼 '복기(復碁)'하는 것이었다. 경영의 복기란 전략을 같이 수립하면서 과거 그 병원이 선택했던 의사결정을 다시 한다면 어떻게 했어야 하고, 그 결과가 어떠했을지 논의해보는 방식이다. 이런 과정을 통해서 과거와 비슷한 상황이 벌어지면 현명한 의사결정을 할 수 있는 역량을 키울 수 있다.

경영기법과 노하우를 배우는 것과 함께 인식의 변화도 필요하다. 과거에 머물러 있는 병원장이 경영하는 병원의 분위기는 어둡다. 구성원들의 표정은 밝지 않고, 토론이 이루어지지 않는다. 구성원들은 병원장의 지시만 기다릴 뿐, 자발적으로 제안을 하거나 새로운 시도는 하지 않는다. 환자보다도 경영자의 심기를 헤아리거나 병원 내 정치에 더욱 관심이 많다.

이런 분위기를 전환하려면 경영자가 먼저 생각을 바꾸어야 한다. 최소한 과거에 머물러 있는 인식은 드러내지 말아야 한다. 인생에서의 '라떼' 이야기(케케묵은 이야기)뿐만 아니라 경영에서도 '라떼' 이야기를 삼가야 한다. 과거에는 맞았지만, 지금은 달라진 것에 대해서는 그것을 인정하는 말과 행동을 해야 한다.

이를테면 이런 식이다. '우수 인력은 돈만 많이 주면 구할 수 있다'는 생각이나 말을 '우수 인력을 영입하려면 돈은 당연하고, 다른 매력적인 조건을 병행해야 한다'로 바꿔보자. '병원에서는 의사만 잘하면 된다'는 사고방식은 '의료품질이 가장 중요하지만, 환자에 대한 각종 서비스도 함께 좋아야 한다'로 달라져야 한다. '의사의 실력도 중요하지만 이를 알리는 노력도 그만큼 중요하다' '홍보 직종 등 일반직이 병원경영 성과에 미치는 영향은 갈수록 커진다. 일반직도 업무에 걸맞은 전문성과 권한을 갖추어야 한다'는 인식의 전환이 있어야 한다.

4

의료품질을 타협하면 백약이 무효다

아무리 좋은 마케팅이나 홍보도
잦은 의료사고의 악영향을 덮을 수 없다.

「 엘리오 」

경영은
업(業)의 본질에 대한 도전

병원의 경쟁이 심화되면서 서비스의 중요성이 강조되어 왔다. 의료기술은 평준화되고 환자는 의료품질을 잘 알 수 없기에 서비스 수준에 따라 병원을 선택한다는 것이다. 이런 시각이 틀린 것은 아니다. 하지만 이 말이 서비스가 의료품질보다 더 중요하다는 의미는 결코 아니다.

그림 3. 병원 유형별 환자의 병원 선택 기준에 대한 설문결과[7)]

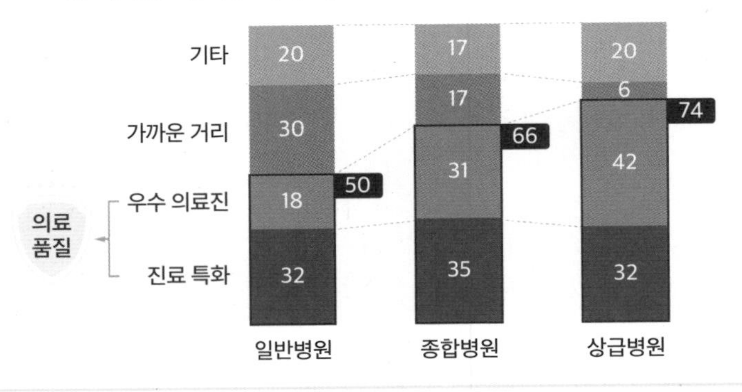

오랜 기간 수행했던 많은 설문결과에서 환자들이 병원을

선택하는 가장 중요한 기준은 언제나 특화된 진료와 우수 의료진이었다(그림 3). 한마디로 의료품질이다. 전문병원이나 중소병원보다 불편한데도 대학병원을 선택하는 것은 의료품질에 대한 신뢰 때문이다. 병원을 찾는 사람들은 과거에는 규모가 큰 병원을 선호했지만, 최근 10여 년 동안은 진료분야의 전문성과 품질에 대한 정보를 보고 선택한다. 전문병원들이 꾸준히 호시절을 누렸던 이유다.

분야별 전문병원들은 의사수가 대학병원 동일 진료과의 의사수보다 더 많다. 전문분야에 필요한 시설과 장비 그리고 시스템을 더 잘 갖춘 경우도 적지 않다. 그렇기에 집 근처에 있는 대학병원을 두고 전문병원을 찾기도 한다. 잘나가는 중소병원의 특징 중 하나도 특별히 잘하는 영역을 갖추고 있다는 점이다.

정책적 목적으로 의료전달체계의 필요성이 강조되곤 한다. 하지만 환자들은 이런 체계에 연연해하지 않는다. 불편함이 없고 최고의 품질을 제공해줄 의사나 병원을 선택하려 한다. 또 일부의 중증질환을 제외하면 같은 질환에 대해서 중소병원이냐 대학병원이냐가 의료품질을 좌우하는 것도 아니다.

중소병원도 시설이나 장비 또는 의료진의 경험과 교육기회 등에 있어 과거처럼 대학병원과 큰 차이가 나는 것은 아니기 때문이다. 그래서 규모가 큰 대학병원이 전문병원이나 중소병원보다 서비스의 질이 나쁠 수밖에 없다거나, 전문병원이나 중소병원이 대학병원보다 의료의 질이 조금 미흡할 수도 있다는 말은 이제 더 이상 통하지 않는다. 이미 모든 병원이 규모와 관계없이 동일 진료과와 경쟁할 수밖에 없는 상황이다. 체급별 경쟁이 아니라 천하장사급 경쟁을 하는 셈이다.

전문화를 할 때, 체급별 주의사항이 다르다

전문화를 추진할 때 대학병원, 전문병원, 종합병원인 중소병원에 따라 유의해야 할 점이 다르다. 대학병원은 모든 과가 중요하기 때문에 특정 진료과에 집중하는 것이 바람직하지 않다거나 이런저런 반발로 인해 전문화를 하는 것이 어렵다는 평가가 일반적이다. 실제로 이 같은 형평성 논리 때문에 선도 대학병원들 간의 진료과별 의사수가 거의 비슷하다. 하지만 앞으로 타 대학병원에서 의뢰하는 비중이 높은 분야에 차별화된 진료역량을 갖춘 대학병원이 진정한 4차 병원이 되고, 미래의 승자가 될 것이다. 그렇기에 모든 대학병원은 탁월한 진료영역을 확보하는 데 심혈을 기울여야 한다. 이미 대학병원 중에는 중증질환에서 세계적인 경쟁력을 확보해 다른 대학병원과의 격차를 더 벌리는 곳이 있다. 이런 대학병원들은 일반대학과는 달리 전문화하려는 진료과에는 더 많은 의료진이 배정되고, 그렇지 않은 진료과는 의료진 수가 적다. '형평성 신화'를 탈출한 셈이다.

대학병원이 전문화를 하려면 미래의 전략에 부합하고, 선도병원보다 경쟁우위를 확보할 수 있는 영역을 선정해야 한다. 이 과정에서 의료진이 납득할 수 있는 근거를 가지고 공감대를 형성하는 절차를 반드시 밟아야 한다. 특히 유의해야 할 점은 전문화 영역을 확정하기 전에 반드시 해당 진료과의 자발적인 혁신의지를 확인해야 하는 것이다. 병원에서 아무리 지원을 해도 진료과 내부의 리더십과 동력이 없으면 성공하기 어렵기 때문이다.

전문병원은 대부분 100병상 미만의 규모이지만, 전문화 추세에 발 빠르게 대응하여 급성장한 병원도 적지 않다. 그런데 일정 규모가 되어 브랜드가 생기고 어느 정도 이상의 수익성이 창출되면, 오히려 과감한 투자를 하지 않고 현상유지적인 입장을 취한다. 그 결과 성장이 정체되면서 모든 부분이 빠른 시일 내에 퇴보하게 된다. 그렇게 되지 않으려면 전문화된 영역과 연계가 높은 진료분야를 보강하면서 성장세를 이어가야 한다. 이때 새롭게 추진하는 진료분야에서 일시적으로 발생하는 손실을 기꺼이 감내할 각오를 해야 한다. 전문병원들은 브랜드가 성장하고 규모의 경제가 달성되기 전까지 매출은 올라가지만, 이익률이 떨어진다. 하지만 이익의 규모는 정체되었다가 빠른 속도로 커지는 시기가 오기 때문에 이를 크게 염려할 필요는 없다.

200병상 이상의 종합병원인 중소병원들은 전문화된 분야를 확보한 경우가 많지 않다. 중소병원 특성상 전문의가 1, 2명 있는 진료과가 다수이기 때문에 전문화를 하고 싶어도 적정 규모가 되지 않는다. 특정 분야를 강화하려고 해도 의사를 뽑기도 쉽지 않고 뽑아도 규모에 걸맞은 환자가 오지 않을까 우려하는 마음에 추진을 꺼린다. 1인 진료과는 주변의 의원과 협력하는 방식을 취하여 없애고, 전문화하려는 영역에 의료진을 확충하여 혁신을 과감하게 추진해야 한다.

전문화의 필수조건은 의료진 적정 규모를 갖추는 것

전문화하려는 영역의 의사수를 일정 규모 이상 갖추는 것은 전문화의 필수조건이다. 진료과에 따라 다르긴 하지만 의사가 4명 미만이면 1, 2명만 이탈해도 학회 참석, 휴가는 물론 안정된 진료를 할 수 없게 된다. 야간당직을 비롯하여 세부전공의 활용이나 컨퍼런스의 활성화도 어렵다. 의사수를 갑자기 확 늘리는 게 쉬운 일이 아니다. 하지만 고정관념에서 벗어나 사고를 전환하면 길이 있다. 의사를 '진료과'라는 칸막이에 가두는 전통적인 방식이 아니라 '질환과 장기(臟器)' 중심으로 유연하게 구분하는 것이다. 진료과에 소속된 전문의는 소수지만 해당 질환이나 장기와 관련된 전문의 인원이 상당한 경우가 많은데, 이를 이점으로 활용하면 된다.

Case. 5

대표적인 사례가 '뇌'로 전문화한 D병원이다. 신경외과, 신경과 등 진료과별로는 전문의가 소수였지만 '뇌' 관련 진료과의 전문의를 모으니 전문화하기 충분한 규모였다. 그래서 '센터'라는 작은 단위가 아닌 '병원'이라는 큰 단위로 묶을 수도 있었다. 또 외부에서 인지할 수 있도록 독립된 진료공간을 최대한 확보하고 '뇌병원'만의 출입구를 별도로 설치했다. 환자뿐만 아니라 병원을 방문하는 방문객, 지역주민들도 '뇌병원'이 있다는 사실을 알게 되어 인지도도 매우 상승했다.

그 결과 코로나와 같이 어려운 상황에서도 전년과 대비하여 외래환자는 10% 이상, 진료수익은 40% 이상 상승했다. 이런 실적에 힘입어 전문의 추가 영입과 장비·시설 확충을 통해 또 다른 도약을 준비하고 있다.

전문화의 충분조건은 센터장의 리더십과 제도적 지원

특정 분야의 의사를 영입하여 규모를 갖추고 장비를 투자했음에도 성과가 별로 없는 경우도 적지 않다. 전문화가 성공하려면, 의사수에 있어 규모의 경제를 갖추는 것 이외에 협력적 분위기를 이끌 리더십과 의료품질을 높이는 제도를 함께 갖추어야 한다. 그래야만 의료품질과 서비스를 동시에 제고하고, 차별화된 진료분야를 알리는 노력을 할 수 있기 때문이다.

Case. 6

지방의 중소병원이었던 E병원은 관절과 척추분야의 전문화를 추진했다. 과감하게 의사를 영입했는데, 기존 의사들의 불만이 터져 나왔다. 그들은 인력 충원에 따라 성과가 하락하여 보상이 악화될 수 있다고 우려했다. 또한 세부전공에 대한 갈등, 진료 스타일의 차이 등으로 분위기가 어색해졌다. 이를 극복하기 위해 리더십을 발휘할 수 있는 의사를 센터장으로 임명하고, 컨퍼런스는 물론 골프 회동 등 공식·비공식 모임을 통해 화합적 분위기를 만들었다. 병원 차원에서는 인원 충원으로 인한 일시적인 성과하락이 보상에 영향을 미치지 않도록 조치하고, 집단성과급(Collective Incentive System)을 도입하여 팀워크를 형성할 수 있도록 지원했다.

의사들은 컨퍼런스에서 진료패턴도 논의를 하게 되었다. 그들은 자신만의 진료 기준을 가지고 있으며 이로 인해 매우 상이한 처방을 내리고 있다는 것을 발견할 수 있었다. 이에 적정진료를 위해 진료방식을 혁신하기로 했다. 병원은 진료패턴 전문기관과 협력하여 의사들에게 선도 대학병원과 주변 병원의 전문의별 진료패턴의 분석정보를 제공했다.

이를 바탕으로 표준 지침과 표준 진료패턴 그리고 새로운 프로세스(Critical Pathway)를 구축하고 이를 지원하는 정보시스템을 도입했다. 이 과정을 통해 비교병원 대비 과잉 투약을 억제하는 등 의료품질이 상승했고 적정성 평가도 대비할 수 있었다.

또한 전문화된 질환의 특성에 맞게 의료품질은 물론 고객편의를 향상시키기 위해 프로세스를 혁신하고 예약, 문진지원, 수납, 정보제공과 소통 등 통합진료시스템을 도입했다. 그 결과 고객들의 각종 대기시간은 줄고 주요 장비의 가동률은 상승했다.

그런데 힘들게 과감한 투자를 했음에도 지역주민과 내원환자, 구성원이 전문분야를 잘 모르거나 다른 분야보다 추천도가 낮은 경우가 적지 않다. 이런 경우는 성공확률이 높지 않다. 전문화를 추진할 때는 그 과정에서 차별화를 위한 노력과 진료성과를 다양한 방식으로 반복해서 안팎으로 알려야 한다. 이와 관련해서는 '8. 알려지지 않으면 존재하지 않는 것이다'를 참고하길 바란다.

우리병원의 전문화를 점검하는 질문

병원이 많아질수록, 병원과 의사에 대한 정보가 더 많이 제공될수록, 환자의 소득이 높아질수록 전문화가 잘 된 병원의 경영성과는 더욱 좋아지게 된다. 현재 우리병원의 전문화 수준이 어느 정도인지는 아래 질문을 통해 어느 정도 알 수 있다. 아래 5가지 물음에 대한 답변에서 비율이 높거나 긍정 답변 개수가 많을수록 전문화가 잘 이루어졌다고 볼 수 있다.

- 환자들이 전문화된 분야를 찾아서 오는 비중이 몇 %인가?
- 진료권 이외에서 찾아오는 환자의 비중은 몇 %인가?
- 우리병원에 컨퍼런스를 상시적으로 하는 진료과가 있는가?
- 우리병원 의사는 자신의 부모님 진료를 동료 의사에게 맡기는가?
- 주변의 대학병원보다 나은 진료과가 몇 개 있는가?

5

누구나 명의(名醫)가 될 가능성은 있다

'함께 떠나는 탐험'에 인재를 끌어들이기 위해서는, 무엇보다 에너지와 열정이 넘치는 환경을 조성해야 한다. 긍정의 정신이 살아 숨쉬는 환경을.

「 톰 피터스, 컨설턴트 」

숲이 없으면,
호랑이는 오지 않는다

의사를 구하지 못해 병상을 놀리는 중소병원이 적지 않다. 심지어 지방의 대학병원이나 분원에서도 의사가 없어 정상적인 진료를 하기 어려운 사례가 늘고 있다. 하지만 의사의 수급난은 이제 시작일 뿐이다.

향후 5년 내에 수도권에 대학병원의 분원이나 대형병원 3,000병상 이상이 생겨나 최소 1,800명의 의사들을 필요로 한다. 이들은 지방의 의사로 채워질 가능성이 높고, 이는 지방의 의료를 더욱 심각한 상황으로 몰아갈 것이다.

지방의 중소병원이 의사를 쉽게 구할 수 있다면 그 병원은 이미 성공한 셈이다. 상당수의 중소병원은 의사의 실력과 인품을 가려서 받을 여유조차 없다. 배출되는 의사수는 정해져 있는데, 병원의 수도 늘어나고 병원당 의사수도 더 많이 필요하기 때문이다. 그렇기에 의사를 급히 소개해달라는 요청을 하는 병원이 많다. 그런 병원들은 '의사들의 처우가 좋지 않다, 소문난 악동 의사가 있다, 이사장이나 병원장의 평판이 좋지 않다, 병원이 지저분하다, 병원 분위기가 나쁘다' 등의 공통점이 있다.

의사의 이직시장은 과도할 정도로 투명하다. 다양한 경로를 통해 급여 수준은 물론 병원의 분위기까지 별의별 소문까지 공유되고 있다. 진료실적이 좋은 의사들이 누군가의 소개를 받고 다른 병원으로 옮기더라도 대부분은 몇 달이 되지 않아 그 병원과 자신은 맞지 않는다는 이유로 사표를 내는 경우도 있다. 누구와의 인연이 있다고 해서 매력적이지 않은 병원에서 계속 근무하는 것을 참지 않는다.

호랑이를 잡으러 호랑이 굴에 들어가는 것보다 호랑이들이 찾아올 숲을 키우는 것이 현명하다. 마찬가지로 의사를 구하기 위해 여러 리쿠르트 회사를 동원하고 지인들에게 부탁하는 노력을 하는 것보다 의사들이 좋아하는 환경을 만드는 것이 효과적인 방법이다. 이를 위해서는 먼저 병원에 대한 부정적인 평판을 시급히 해소해야 한다. 이와 아울러 의사들이 선호하는 여건에 대한 종합대책을 세워야 한다. 그러면 내부에 있는 의사들도 자신들의 선후배를 데려올 것이다.

성과급 제도가 작동하지 않는 이유와 성공요건

모 대학병원은 진료기여수당 제도를 도입하여 병원의 고질적인 문제점도 해소하고, 1년 만에 이익이 거의 두 배가 되는 성과를 거두었다. 이를 알게 된 다른 대학병원에서 이를 본떠서 유사한 제도를 도입하였는데, 성과는 거의 보지 못한 채 의사들 사이의 분위기만 해치고 말았다. 같은 제도라도 결과는 완전히 달랐다. 병원 운영은 다 비슷하고 의사가 하는 일은 거기서 거기니까 다른 병원의 성공사례를 그대로 따라 하면 된다고 쉽게 생각했기 때문이다.

Case. 7

F병원은 지방에 위치한 종합병원이다. 30명 정도의 의사들이 근무하고 있는데, 이 중 일부는 10년 이상 장기근속한 의사들이고, 대부분은 대학병원에서 막 전임의를 마치고 입사한 젊은 의사들이다.

협력경영을 시작하기 전에도 성과급 제도를 운영하고 있었다. 외과계는 본인 급여의 10배, 내과계는 8배의 수익을 초과하는 금액에 대해 일정 비율로 보상하는 방식이었다. 의사들은 10배, 8배라는 급여배수 기준에 동의하지 않았고, 실제로 성과급을 수령하는 사람은 극히 소수에 불과했다. 자신의 실적과 성과급을 제대로 아는 사람도 없었다. 내과계는 일주일의 세션수가 7개에서 11개로 의사 간 편차가 많았고, 대부분의 의사들은 장기근속에 따른 예우가 전혀 없는 점에 대해서 불만을 가지고 있었다. 성과급 제도는 있었지만 허울뿐이었다.

의사의 동기부여 제도를 제대로 작동시키려면 그 제도를 설계할 때 5가지 요건을 감안한다. 이 요건은 지키는 것이 좋다. F병원의 사례를 통해 성공요건을 살펴보자.

첫째, 병원의 고질적인 문제를 해결할 수 있는 지표를 설정했다. 병원마다 다르긴 하지만 이 병원은 신초진환자가 고질적으로 적고 병상가동률이 떨어지고 의사 간 협조가 잘되지 않았다. 그래서 이와 연계된 지표인 신초진환자수, 실입원환자수, 행위진료수익, 원내외래협진 등을 성과급의 핵심지표로 설정했다.

둘째, 병원 내의 다른 과와 비교하지 않고, 동급병원의 동일 진료과와 비교했다. 목표를 설정할 때 내과계, 외과계로 하지 않고, F병원과 유사한 경영환경, 병상규모와 전문의수를 가진 병원의 동일과 전문의들의 평균실적을 평가기준으로 삼았다. 행위진료수익 등은 평균실적을 초과했을 때 일정 비율 또는 일정 금액을 지급하는 방식이며, 원내외래협진과 같은 지표는 건당 금액을 지급하는 방식으로 설계했다.

셋째, 세션, 휴가 일수 등 처우를 종합적으로 검토했다. 세션수가 11개인 의사는 세션수를 10개로 줄이고, 세션수가 적은 의사는 세션수를 늘리고, 이와 연동하여 휴가 일수를 늘렸다. 외래진료 시작과 마감시간 준수, 회진 준수, 동료와 환자에 대한 자세, 회의 참석률 등 의료진이 기본적으로 준수해야 할 10계명을 의사들과 협의하여 확정했다. 이를 준수한 의사에게는 다음 년도 진료기여수당의 지표별 성과보상률에 일정 비율을 가산하게 했다.

넷째, 장기근속자에 대한 예우방안을 마련했다. 잦은 이직은 수익성과 진료의 안정성에 매우 부정적인 영향을 초래한다. 일반적으로 장기근속한 의사의 진료실적이 높다. 그래서 우수 의사의 장기근속을 권장해야 한다. 장기근속한 의사에게는 휴가 일수를 추가하고, 학회에 참여하는 경비를 지원하며, 10년 이상 된 의사는 1달간 안식월을 사용할 수 있는 예우 제도를 도입했다. 우수 의사는 장기계약을 하고, 경영에 참여시키는 등 다양한 혜택을 부여했다.

다섯째, 협진이 활성화되는 여건을 조성했다. 마취통증의학과, 영상의학과 등 지원진료과(협진과) 의사의 보상은 임상과의 실적과 연동했다. 즉, 임상과 의사가 행위진료수익의 초과실적으로 받는 보상액의 평균금액을 협진과 의사가 수령하도록 설계했다. 그 결과 수술건수가 획기적으로 늘어나고, 컨퍼런스가 활성화되었다. 중소병원도 그렇지만, 특히 대학병원은 협진과의 성과급 구조에 각별한 신경을 써야 한다. 협진과와 임상과의 협조 정도에 따라 경영에 치명적인 영향을 미치기 때문이다.

의료진의 수용도가 성과급의 성패를 좌우

많은 병원에서 성과급의 필요성을 느끼지만, 성공사례는 그리 많지 않다. 그 이유를 꼽자면 '병원의 문제와 괴리된 지표를 설정했다, 지표가 너무 많거나 진료수익에만 치중되었다, 진료과의 특성을 반영하지 않았다, 목표가 너무 높다, 달라진 상황을 반영하지 않았다'는 등 다양하다. 그중에서도 가장 흔한 실패 요인은 설계와 운영과정에 의료진의 의견을 수렴하지 않는 것이다.

많은 사람들이 '의사들은 고집이 세다, 다른 사람들 말을 잘 듣지 않는다, 이기적이다'고 말한다. 그러면서 저자에게 '그런 사람들과 어떻게 오랫동안 일을 같이했느냐'고 묻기도 한다.

하지만 대기업을 비롯하여 정부 등 다양한 업종의 직업군을 경험해본 저자는 오히려 의사들과 협력하기가 상대적으로 쉽다고 생각한다. 다른 업종의 직업인들은 자신의 이해관계와 다를 때에는 논리나 근거에 무관하게 끝까지 반대하는 경우도 적지 않다. 의사들은 논리적으로 수긍하지 않을 때는 누가 뭐래도 자신의 의견을 잘 바꾸지 않는다. 하지만 논리적으로 맞고 그 근거가 되는 수치가 정확하고 신뢰성이 있을 때는 자신의 입장을 바로 바꾸어 다른 의견을 수용하는 편이다.

그러므로 의사들의 이해도, 수용도가 성과급을 제대로 작동시키는 제1요건이라고 할 수 있다. 병원은 설문과 인터뷰 등 다양한 경로를 통해 의견을 수렴하고 비교병원 사례와 설계의 논리 등을 담은 논의자료를 만들어야 한다. 그것을 토대로 개별 의료진과 면담하여 타당한 의견을 반영하는 과정을 거쳐야 한다.

새로운 성과급 제도를 시행한 F병원은 1년 만에 병원 분위기가 완전히 바뀌었다. 이전에는 극소수만 받았던 진료기여수당을 금액의 차등은 있으나 전원이 받게 되었다. 시행 초기에는 1인당 평균 60만 원 정도였으나 300만 원까지 증가했다. 외래세션을 합리적으로 조정하여 의료진 간 형평성도 갖추었고, 전체 세션도 늘었지만 휴가 일수도 늘어나 의사들의 만족도는 높아졌다.

그 결과 도입 1년 만에 전문의 1인당 평균수익이 116% 상승했고, 수술건수도 1.7배가 늘었다. 의사들은 환자에게 더 친절해졌고, 동료 간에 존중하는 문화가 생겼다. 월 2회 병원정책을 논하는 진료과장회의의 참석률도 연간 90% 이상을 유지하고 있다. 진료과장들이 의대 동기와 지인 전문의를 병원에 초빙하는 사례가 빈번해진 것은 과거에 볼 수 없었던 의미 있는 변화다.

우리병원도 명의를 만들 수 있다

자신의 병원에 근무하는 의사를 저평가하는 경영진이 적지 않다. 그것은 병원뿐만 아니라 인재가 풍부하기로 소문난 삼성그룹을 비롯한 다른 분야도 마찬가지인 것 같다. 삼성그룹의 모 부회장님은 컨설팅을 맡은 저자에게 “내부에 일할 만한 사람이 없다. 좋은 사람 좀 찾아달라”는 말씀을 자주 하시곤 했다.

하지만 명의를 밖에서만 찾지 말자. 내부에도 명의의 잠재력을 가진 의사들이 적지 않다. 대부분의 의사들은 오랜 수련기간을 통해 탄탄한 기본기를 갖추었기 때문에 마음가짐과 자세를 가다듬으면 사람들의 입에 오르내리는 명의가 될 수 있다.

실제로 환자들이 원하는 명의는 어떤 의사일까? 세계적인 논문을 쓰고, 미국의 선도대학병원에서 연수를 받고, 새로운 치료기술을 발명한 의사만이 아니다. 환자의 상태를 자신의 몸처럼 느끼고, 그들의 걱정을 내 걱정으로 끌어안아 꼼꼼히 살펴보고, 화사한 얼굴로 자세히 설명해주는 의사를 원한다. 여기에 최신의 의료지식과 기술을 익히는 노력을 게을리 하지 않은 의사라면 금상첨화이다. 이런 기준으로 보면 하위 20%의 의사를 제외하면 대부분은 명의가 될 수 있다.

어떤 명의처럼 모든 환자에게 손편지를 쓰지 않아도 된다. 환자에게 웃는 얼굴로 따뜻한 말을 하며 환자의 말을 잘 들어주면 절반은 된 것이다. 또 절반은 환자와의 약속인 진료시간, 회진시간을 준수하는 것이다. 이것에 더하여 병원이 2가지를 더 보태면 명의 탄생은 더 쉬워진다. 하나는 지금까지 말한 의사 동기부여 제도이고, 또 하나는 의사에 대한 홍보이다.

동기부여 제도를 마치 의사들에게 부당한 돈벌이를 강요하는 것처럼 여기는 분이 있다. 가끔 환자를 속여서라도 진료수익만 높이면 된다는 식으로 성과급을 시행하는 경우도 없지 않기 때문이리라. 약물 오남용으로 인한 부작용이 있다고 해서 약이 없어야 되는 것이 아니다. 마찬가지로 잘못된 성과급으로 인한 부작용이 있다고 해서 성과급 자체가 잘못된 것은 아니다.

정상적으로 설계된 성과급은 수익만을 강조하지 않는다. 환자들에게 더 잘하고 진료를 더 충실히 하는 사람, 즉 명의이거나 명의가 되고자 노력하는 의사를 격려하고 인정하는 제도이다. 만약 병원발전에 더 기여한 의사를 다른 사람과 똑같이 대우한다면, 그는 이를 부당하다고 여겨 진료에 최선을 다하지 않거나 다른 병원으로 떠날 것이다. 효과적인 성과급 제도는 병원의 고질적인 문제를 해결할 뿐 아니라 평범한 의사를 명의로 거듭나게 한다.

그림 4. 성과급 개선 단계별 주요 업무

	주요 업무
Phase 1. 현행 제도 진단	• 재원 구조와 성과급 지급 대상 범위 진단 • 성과급의 총급여 대비 비중, 차등 폭 진단 • 성과급 지표와 지표별 기준 적정성 평가 • 평가와 보상 주기 등 운영 시스템 진단
Phase 2. 성과급 제도 설계	• 성과급 제도의 기본 원칙 규정 • 진료과별 특성을 감안한 성과급 제도 설계 • 전략적 우선 순위를 감안한 성과급 제도 설계 • 평가와 보상 주기 등 운영개선안 도출
Phase 3. 시뮬레이션과 보정	• 지표별 가정에 따른 시나리오 설계 • 수익(이익)증감액 대비 재원규모 시뮬레이션 • 진료과별, 개인별 보상 분포 시뮬레이션 • 의료진과 협의 후 보정
Phase 4. 성과급 실행과 후속조치	• 신규 성과급 세부 실행 계획 수립 • 성과급 제도 실행을 위한 정보화 인프라 구축 • 시범 도입과 점검을 통한 제도 조기 안정화 • 제도의 주기적 개선체계 구축방안 수립

성공을 보상하지 않는 것은 실패를 보상하는 것이다.

6

'고객 중심'은 병원경영의 철칙이다

돈에 맞춰 일하면 직업이고, 돈을 넘어 일하면 소명이다.
직업으로 일하면 월급을 받고, 소명으로 일하면 선물을 받는다.

「 백범 김구 」

우리병원은 고객 중심인가?

선도병원의 병원장 인사말씀에 자주 등장하는 표현이 '고객 중심'이다. 경쟁이 심해져서 대학병원도 환자의 선택을 받아야 하는 입장이 되다 보니 '환자 중심'이라거나 '고객 중심'이라는 표현을 받아들이게 되었다. 과거에는 상상도 할 수 없었던 일이다.

하지만 아직은 구호에 그치는 수준이고, 갈 길이 멀다. 고객 중심이라는 말이 여전히 어색한 교수들이 적지 않다. 일부의 구성원을 빼면 고객을 열렬히 환영하는 게 아니라 마지못해 반가운 척하려고 노력하는 정도다. 환자라고 말하든 고객이라고 부르든 그들이야말로 병원과 의사의 진정한 존재 이유다. 그래서 환자 중심(Patient First)은 병원경영의 철칙이 되어야 한다.

요즘 환자들은 선도 대학병원 중 몇 군데를 동시에 예약한 후 빨리 예약되거나 더 편리한 병원을 선택한다. 상위권 대학병원의 실력은 평준화되어 있다고 생각하기 때문이다. 그래서 대학병원들도 환자의 시간을 최대한 절약하는 등 불편을 해소하려는 노력을 기울이고 있다.

하지만 기업에 비하면 걸음마 수준이라고 해도 과언이 아니다. 예약 절차가 불편할 뿐 아니라 한두 달 기다리는 게 예사이다. 병원을 방문해도 주차장에서부터 불만이 터지기 시작한다. 과거 주차장이 넓어 여유가 있었던 대학병원도 예외가 아니다. 병상당 필요한 주차면이 늘어나 요즘은 무려 1.7개 이상이 필요하게 되었는데 이를 충족시킬 수 있는 병원은 좀처럼 찾기 어려워졌다. 예약해도 외래에서 대기하는 것을 시작으로 검사 대기, 입원 대기, 수술 대기 등 기다림의 연속이다.

대학병원은 대기시간을 줄이면 환자의 만족도만 높아지는 것이 아니라 환자를 더 볼 수 있어 수익성이 개선된다. 내원환자들이 만족하면 가족, 친지를 불러오기 때문에 신환 창출에 많은 도움이 된다. 그렇기에 내원환자의 목소리를 정기적으로 수렴하고 신속히 해결할 조직을 만들어야 한다. 대부분의 혁신과제가 여러 부서와 연계되고 적지 않은 저항이 있기 때문에 병원장 직속으로 의료혁신실을 설치하여 해결하는 게 좋다.

중소병원은 대학병원보다는 부서 간이나 의료진의 협조를 잘 받을 수 있기에 경영진의 의지에 따라 신속하게 환자만족도를 높일 수 있다. 그러므로 중소병원의 고객 서비스 전략은 대학병원과 비교할 것이 아니라 기업의 수준에 가깝게 구현해야 한다. 하지만 대학병원은 말할 것도 없고 대부분 중소병원들도 고객을 불편하게 하는 장벽을 겹겹이 쌓아 이들의 접근을 막고 있다. 하루빨리 이 장벽을 허물고 환자들을 환대하는 문을 활짝 열어야 한다(그림 5).

그림 5. 환자가 진료를 받기 위해 넘어야 할 장벽

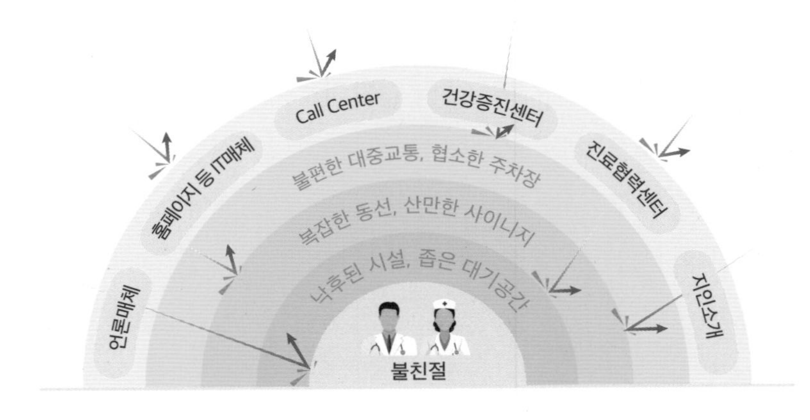

콜센터를
온라인 서비스센터로 혁신하라

자발적으로 찾아오는 고객을 막는 기업은 없다. 그러나 이런 일이 병원에서는 비일비재하다. 주요 포털을 검색해도 예약기능이 없는 병원이 대부분이다. 있는 경우에도 모바일 홈페이지의 글자가 잘 보이지 않고 기입해야 할 항목이 너무 많다. 결국 중간에 포기하고 만다. 전화로 예약하려고 해도 통화가 잘 안된다. 연결되어도 그냥 방문하라고 안내하는 병원이 태반이다. 원하는 날짜와 시간대를 잡기도 쉽지 않다. 이런 병원들은 예약 부도낸 환자를 관리하지도 않는다. 의사별로 예약 가능한 환자수를 관리하는 주체나 원칙도 없다. 그래서 의사나 외래간호사의 자의에 따라 진료예약 스케줄이 결정된다.

Case. 8

G병원은 예약 프로세스를 점검한 후 홈페이지 예약기능을 개선하고 전화예약을 지원하는 시스템을 구축했다. 진료과별로 달랐던 진료 시작시간을 통일하고 유사 병원의 동일 진료과와 비교하여 시간당 예약가능 환자수를 결정했다. 최소 2배, 많게는 3.5배까지의 예약 자리가 늘어나 외래환자

증가로 이어졌다. 콜센터 요원을 확충하고 응대멘트와 방식 등을 교육하여 예약 서비스품질을 개선했다. 바쁜 일이 생겨 병원에 가지 못했는데, 병원에서 먼저 전화하여 친절하게 원하는 예약날짜를 잡아줬다며 칭찬하는 환자도 늘면서 병원의 평판이 현저하게 좋아졌다.

콜센터는 과거처럼 수동적으로 예약만 받는 조직이 아니다. 예약은 물론 서비스를 관리하는 기능과 권한을 집중하여 온라인 서비스의 첨병으로 진화해야 한다. 그러면 전체 의료진의 예약가능 세션, 진료 시작시간 등을 관리할 수 있고, 예약부도가 나면 즉각적인 조치가 가능해진다. 또한 환자의 데이터베이스를 활용하여 이벤트 콜을 비롯하여 다양한 부가서비스와 마케팅을 할 수 있다. 이를 통해 빠른 시일 내에 진료수익과 환자만족도를 동시에 제고할 수 있다.

온라인에서는 홈페이지나 콜센터가 첫인상을 좌우한다면, 병원을 방문했을 때는 처음 만나는 직원들이 첫인상을 좌우한다. 그들은 주차관리요원과 1층 로비에서 안내를 담당하는 사람들이다. 이들의 표정과 옷차림 그리고 안내멘트에서 기분 좋은 느낌, 환영받는 느낌을 줄 수 있어야 한다. 서울의 유명백화점과 우리병원의 안내요원들을 비교해보는 것은 결코 쓸데없는 일이 아니다.

협력병원을 비롯한 우군을 확보하라

콜센터 못지않게 중요한 환자의 길목이 있다. 그것은 협력병원, 협력회사와 같이 환자를 직접 소개해 주는 조직들이다. 대학병원의 신환자, 특히 중증도가 높은 환자의 유입경로는 협력병의원과 협력기관이 상당한 비중을 차지한다. 그렇기에 협력병의원을 관리할 조직을 강화하여 협력병의원의 수를 늘리고 의뢰실적이 우수한 병의원을 특별관리해야 한다. 그들이 의뢰하는 환자는 물론 협력병의원의 원장과 직원의 예우에 각별히 신경써야 한다.

대학병원에서는 협력병원 관리를 중시하지만, 중소병원들은 그런 일은 대학병원이나 하는 것이라며 소홀한 경우가 적지 않다. 협력병의원의 정보나 기관별 의뢰환자수 등 관련 자료가 부실하거나 아예 없다. 심지어 전담 조직과 인력도 없어 원무부장 등 개인의 역량에만 의존한다. 그나마 의료인들이 모인 조기축구회와 같은 지역 내 동호회에서 활동하는 수준에 그친다.

Case. 9

H병원에서는 협력기관 관리를 위해 경험 있는 간호사를 주축으로 전담 조직과 인력을 확충하고 교육을 통해 전문성을 보강했다. 먼저 현재의 핵심 협력병원과 향후 협력할 기관을 정의했다. 그 기준은 병의원별 의뢰환자수, 의뢰받은 환자의 분포와 지역별 병의원의 수였다. 핵심적인 기관과는 정기적으로 미팅하여 그들의 요구를 반영했다. 요양원에서는 촉탁의와 의료진의 정기적 방문을 요청했는데, 이를 즉각 수용한 결과 요양원으로부터 적지 않은 입원환자가 발생했다. 핵심 협력기관과의 관계에서 자신감을 확보한 후 지속적으로 협력기관 수를 늘렸다. 이런 노력만으로 신환자의 수가 10% 이상 증가했다.

병원에 도움이 될 수 있는 조직은 매우 많다. 가장 신경써야 하는 조직은 흔히 '을' 취급하며 함부로 대하거나 소홀하기 쉬운 구매회사나 아웃소싱회사, 정보시스템회사 등 병원을 지원하는 다양한 협력회사들이다. 이들과 이들의 가족·친지,

이들의 협력회사가 환자가 될 수 있다. 뿐만 아니라 그들은 많은 병원들과 관계를 맺기 때문에 병원에 유용한 정보도 알려주고, 의사를 소개하기도 한다. 그들과의 우호적인 관계는 상상 이상의 영향력을 발휘할 때가 있다.

이들에게 원망을 사지 않는 수준을 넘어 이들을 모두 병원의 맹렬한 우군으로 만들어야 한다. 물론 협력회사가 해야 할 업무의 내용이나 품질을 대충 봐주어야 한다는 것은 결코 아니다. 그들과 약속하거나 계약한 사항은 특별한 상황이 없는 한 지켜야 하고, 지키지 못할 때는 사전에 알려주고 양해를 구해야 한다. 그리고 병원의 관계자들이 따뜻한 언행으로 그들이 존중과 배려를 받고 있다고 느낄 수 있도록 해야 한다. 업체, 업자라는 표현도 기관, 회사, 관계자 등으로 표현하는 게 좋겠다.

건강검진센터도
신환창출의 핵심경로이다

대부분의 건강검진센터(이하 건진센터)는 전체 의료수익의

5% 이상을 차지하고 있다. 그래서인지 건강검진센터를 병원의 부족한 수익과 이익을 채워주는 부서로 여긴다. 하지만 건진센터는 환자 유치에 있어 더 큰 의미가 있다. 일반적으로 수진자 1명이 증가하면 외래환자 0.4명이 증가하는데, 수진자의 만족에 따라 외래환자는 더 늘어날 수 있다.

Case. 10

I병원에서는 건진센터의 시설을 깨끗하게 정비했다. 병원 전문화 영역과 연계된 특화프로그램과 매년 방문 고객을 위한 관리프로그램을 차별적으로 설계하여 운영했다. 성수기와 비성수기의 차이를 줄이기 위해 기업뿐만 아니라 유관협회와 단체회원을 유치했다. 비성수기에 병원을 방문한 입원환자 등을 대상으로 건진 마케팅을 강화했다. 특히 센터 실적과 연계된 집단성과급을 설계하여 의사만 받던 성과급을 센터의 모든 직원이 받을 수 있게 했다. 그러자 그들은 건진센터의 수진자 규모를 결정하는 내시경과 초음파 검사에 대한 프로세스를 개선하여 일일 수진자 규모를 늘렸다.

이런 노력의 결과, 재방문율이 27%에서 46%까지 늘어났다. 또 가장 성수기인 11월에도 추가적인 인력 증원 없이 내시경건수가 22%나 신장했다. 상대적으로 비수기인 1월부터 3월까지는 단체검진과 원내검진 활성화를 통해 전년 대비 최대 4배까지 수익이 증가했다. 건진센터의 전체 수익이 전년 대비 50% 이상 성장했고, 건진센터의 수진자 확대는 외래환자수의 증대로 직결되었다.

환자는 의료진의 '직업적 소명'에 감동한다

갈수록 커지는 양극화 탓인지 우리사회가 더욱 '돈' 지상주의로 흘러가고 있다. 각자가 가진 직업적 소명은 옅어지고, 주변과 비교되는 연봉과 소득에 대한 민감도는 더욱 높아지는 듯하다. MZ세대에서 이런 특징이 더 두드러지며, 앞으로 그 경향은 더 심해질 것이다. 병원의 경영체제는 이를 수용할 수 있는 방향으로 운영되어야 한다. 시대와 세월을 거슬러 올라갈 수는 없기 때문이다.

병원도 경쟁이 심화되면서 수익성의 중요성이 강조되다 보니, 병원이 왜 존재하는지에 대한 이유는 뒷전으로 밀리는 듯하다. 경영에서 수익성은 건강과 같다. 건강을 잃으면 모든 것을 잃는다는 말은 맞지만, 보람된 삶을 살기 위해 건강이 필요한 것이지 건강을 위해서만 사는 것은 아니다. 마찬가지로 수익성 없이는 병원이 존재할 수 없지만 그렇다고 해서 병원의 존재 이유를 망각한 채 수익만을 좇을 수는 없는 일이다.

저자가 20여 년 동안 만난 명의들은 한결같이 환자가 회복되어 밝은 얼굴로 감사의 말을 전할 때 가장 행복하다고 한다. 모든 분야의 고수들은 자기의 직업적 소명을 다했을 때 진정한 행복을 느낀다고 말한다. 저자는 김구 선생님이 하신 "돈에 맞춰 일하면 직업이고 돈을 넘어 일하면 소명이다. 직업으로 일하면 월급을 받고 소명으로 일하면 선물을 받는다"라는 말씀을 특히 좋아한다. 망하기 직전의 병원이 회복되어 경영진이 자신감을 회복하고, 지역민들에게 좋은 평가를 받게 될 때 '희열'이라는 표현도 부족할 만큼의 감동을 느낀다.

병원과 의사는 환자를 위해서 존재한다. 누구보다도 의미 있는 삶을 살고 싶어서 의사가 되었고, 병원을 설립했을 것이다. 그런데 이런 의미는 언제부터인가 잊혀간다. 병원의 경영상황이 과거와 같지 않고, 생존을 위한 노력이 더욱 절실하기 때문이리라. 하지만 그럴수록 왜 의사가 되었고, 병원을 왜 세웠는지를 돌아보는 것이 경영의 기본을 갖추는 지름길이다. 환자에 대한 직업적 소명이 병원경영의 중심에 서면 진정한 친절이 우러나온다. 거칠어도 통하는 것은 진정성이다.

7

환자의 집보다는 쾌적해야 한다

병원 로비, 안내 데스크나 원무과 직원 그리고 1층 화장실이
병원 이미지를 결정하는 가장 중요한 요인이다.

「 엘리오 」

변화를 쉽게 알릴 수 있는 시설개선

“병원은 명의만 있으면 잘 된다”며 시설관리에 소홀한 병원이 적지 않다. 돈이 들어가는 것을 피하고 싶은 마음일 수 있겠으나 이는 단견이다. 환자는 물론 명의 등 해당 병원의 어떤 구성원도 낙후된 시설을 좋아할 리 없다. 내·외부 고객 모두의 불만을 산다.

최근 20여 년간 우리가 살아가는 공간은 크게 좋아졌다. 과거와는 달리 아파트, 대형마트, 프랜차이즈 커피숍 등 다양한 공간들이 매우 쾌적하고 편리하게 바뀌었다. 이에 따라 고객의 눈높이도 올라가고 있다. 그들에게 병원의 공간은 어떻게 비쳐질까? 호텔만큼은 아니어도 병원은 최소한 깨끗하고 관리된 느낌은 주어야 한다. 그 최소한의 기준은 환자와 고객들이 생활하는 일반 아파트이다.

우리병원의 로비를 집의 거실과 비교해보자. 또 병원 화장실이 귀하 집의 화장실보다 더 깨끗하고 쾌적한지 생각해보자. 소홀하기 쉬운 1층 화장실에 특히 주목해야 한다. 몇 평되지 않지만, 흔히 볼 수 없는 창의적이고 고급스러운 화장실을 만들어야 한다. 화장실은 환자가 느끼는 병원의 쾌적성 및 품격과 직결된다. 불결한 병원 화장실 하나를 보고 병원의 전반적인 환경이 불결할 것이라고 여기게 되고 고객의 불쾌감도 높아질 것이다. 또한 입구 옆 화단에 떨어져 있는 담배꽁초들이나 로비 구석에 방치되는 휴지들은 '깨진 유리창 효과'를 불러온다(그림 6).

그림 6. 미국의 범죄학자 제임스 윌슨과 조지 켈링의 깨진 유리창 이론[8)]

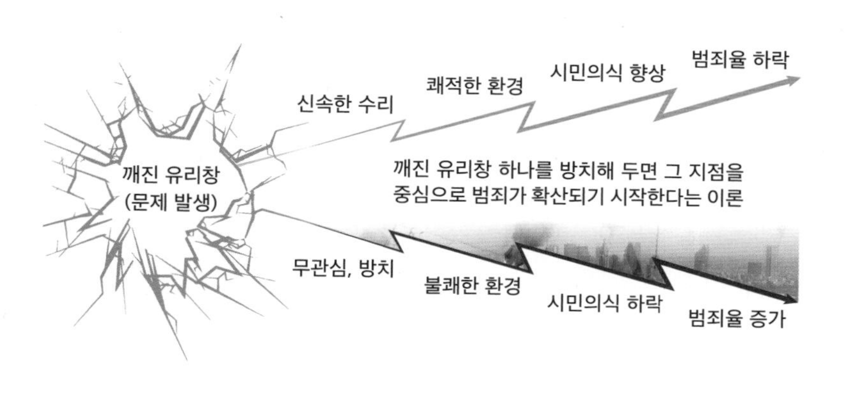

환자의 눈높이에 맞추는 데 많은 돈이 드는 것은 아니다. 병원 공간의 문제점과 개선방안이 포함된 종합계획을 세우면

적은 돈으로 목적을 달성할 수 있다. 이때 설계나 공사와 같은 기술적인 관점보다는 병원 운영이나 환자 효익의 관점에서 분석하고 대안을 마련해야 한다. 그러려면 병원 운영에 대한 이해와 병원 건축에 대한 경험이 많은 경영전문가가 주관할 수 있도록 해야 한다. 건물의 품질과 효율을 결정하는 것은 공사보다는 설계다. 마찬가지로 설계에서도 실무적인 도면을 그리는 작업보다 개념설계가 품질에 더 결정적인 영향을 미친다.

시설개선도 쉽게 할 수 있는 것부터

Case. 11

수도권에 위치한 J병원은 공간이 넓고 쾌적한 편이었다. 신축한 지 오래되지 않아 인테리어의 수준도 평균 이상은 되었다. 그런데도 시설이 낙후되었다는 고객의 불만이 적지 않았다. 병원의 벽과 주변의 지저분한 모습을 보고 의사들이 채용면담을 포기할 정도였다. 이유가 있었다. 우선 병원 접근로 입구와 주변 도로변이 잡풀과 쓰레기로 가득했다. 게다가 병원 벽은 얼룩져 있었으며 주변에는 담배꽁초가 여기저기 흩어져 있었다. 사용하지 않는 병동에는 병상이 방치되어 마치 고물상이나 폐허를 연상하게 했다.

더욱 심각한 것은 구성원들은 이런 풍경에 익숙해져 지저분하다고 생각하지 않는 것이었다. 하지만 환자들의 눈에 병원 시설이 청결하지 않게 비치면 그 병원의 의료품질에 대해서도 불신과 우려가 싹튼다. 그래서 J병원은 넓은 공간에 값비싼 인테리어 외장재를 사용했음에도 별다른 효과가 없게 되었다.

J병원의 진료공간은 다른 병원에서도 흔히 볼 수 있는 모습이었다. 환자대기공간에 있는 모니터는 크기와 색상이 제각각이다. 영상내용도 협찬을 받아 제작되었는지 협찬회사의 홍보영상만 나왔고 병원 홍보나 환자에게 필요한 정보는 거의 없었다. 대기의자는 불편하고 얼룩져 있는데다 색마저 바래 있었다. 진료실 내부도 상황은 비슷했다. 진료실의 책상은 컸지만, 환자가 손을 올리거나 가방을 올려놓을 만한 공간이 없었다. 환자 의자도 불편하기 짝이 없고 볼품도 없었다. 그리고 진료실 뒤편에는 의료진의 운동기구나 취미활동 장비 등이 널려 있었다.

J병원의 적나라한 실상을 사진으로 찍어 병원 구성원들과 공유한 뒤 병원의 벽과 주변을 일제히 청소하였고, 일부 가구와 소품을 바꾸고 정리정돈을 했다. 큰 비용을 들이지 않았지만, 환자들은 이것만으로도 병원이 달라졌다며 후한 평가를 했다.

시설개선을 할 때
가성비를 생각해야 한다

대규모 투자를 할 때는 단순히 깔끔하고 아름답게만 하는데 그쳐선 안 된다. 반드시 수익과 연관되는 병실, 진료실, 수술방, 편의시설 등의 확장이 이루어져야 한다. 비용대비 효과가 큰 것은 외관이다. 병원 건물은 도로에서 보이는 면이 되도록 커야 한다. 그래야 규모감으로 인한 신뢰가 저절로 확보된다. 외관은 주변의 건물과 쉽게 구별되어야 하고, 그 지역의 랜드마크가 될 정도로 특색이 있어야 한다(그림 7).

병원 내부의 공간을 설계할 때는 불필요한 공간을 찾아 동선의 효율성과 시설의 쾌적성을 높여야 한다. 과거에는 조명이나 환기 또는 미적인 차원을 고려하여 작은 병원인데도 중정을 둔 경우가 적지 않았다. 하지만 지금은 여러 가지 기구나 인테리어 소품으로 이를 해결할 수 있게 되었다. 공간이 부족할 때는 중정을 층별로 막아 다른 용도로 활용할 수 있다. 중정이 복도의 중간에 있는 경우가 많은데, 이를 연결하여 복도의 양 끝이 보이게 할 수 있다. 그러면 긴 복도로 인해 병원이 길게 보이는 효과도 있고, 시원한 느낌을 줄 수 있다.

그림 7. 병원 정문 및 외관 공사 전후 모습

불필요한 공간을 찾아 진료실과 대기공간 그리고 편의시설을 최대한 넓고 쾌적하게 해야 한다. 또 수술방이나 병실을 시설기준에 맞게 할 뿐 아니라 미래에 확장할 가능성도 염두에 두어야 한다. 이를 위해서는 수술방이나 병실 근처에

회의실, 상담실 등을 설치해 두면 좋다. 확장할 필요가 있을 때 언제든지 다른 곳으로 쉽게 옮길 수 있다. 흔히 이를 정책 공간이라고 표현한다.

고객편의시설은 조금만 신경 쓰면 이미지나 수익성에 미치는 효과가 꽤 크다. 그렇기에 편의점, 커피숍, 푸드코트 등 입점회사의 종류, 표준서비스 계약의 방식, 유치 전략이 포함된 입점계획을 세워야 한다. 입구 등 상징적인 자리에는 브랜드가 좋은 핵심 임차인(Key Tenant)을 입점시켜야 한다. 그러면 주변의 다른 시설 임대도 더 좋은 조건으로 할 수 있다. 대표적인 핵심 임차인은 환자는 물론 구성원들도 매우 좋아하고, 병원의 브랜드를 높이기까지 한다. 유명 브랜드를 가진 커피숍이 입점하니까 '직원 복지'가 향상되었다고 말할 만큼 직원들이 반긴 경우도 있다.

꿈과 계획이 있으면 상상 속의 병원이 들어온다

병원마다 공간이 부족하다고 호소한다. 하지만 실제로 살펴

보면 여유 공간이 없는 병원은 없었다. 공간을 늘리기 전에 기존 공간 중에서 사용되지 않는 공간을 찾고, 사용 중인 공간도 우선순위를 조정하여 추가공간을 확보하는 게 먼저다. 또 새로운 프로세스와 시스템을 도입해도 추가공간이 생길 수 있다. 실제로 *Case. 12* K병원은 예약프로세스의 재정비, 자동화 확대, 입원 업무의 축소 등을 통해 1층에 있던 접수·수납 창구를 2층의 외래 옆으로 옮겼다. 복잡했던 1층 공간은 쾌적한 로비와 고객편의시설로 변모했다.

또 복도를 비롯한 공용공간도 새로운 시각으로 봐야 한다. 너무 과도하게 넓거나 시설의 이전 등으로 복도로서의 기능이 없어진 경우도 있다. 또 연계성이 있는데도 거리가 멀리 떨어진 시설들을 인접배치하면 의료진이나 환자의 동선이 짧아져 복도를 다른 용도로 활용할 여지가 생긴다. 대부분의 병원에서 기존 공간을 제대로 활용하면 새로운 공간수요를 커버할 수 있었다.

기존 공간을 최적화해도 공간이 부족하면 추가부지의 구입을 검토할 수밖에 없다. 병원 주변의 부지가격은 병원이 잘 안될 때는 싸지만 병원이 잘 되기 시작하면 급격히 상승한다. 필요한 상황에 닥쳐서 사려면 그때는 가격이 너무 많이 올라 살 수가 없다. 주변부지는 무리해서라도 미리 확보하는 것이 좋은 결과를 불러오는 경우가 많다. 경영상황이 어려운 병원과 협력경영을 시작하면서 처음엔 반대하던 병원 측을 설득하여 주변부지를 매입했다. 병원이 잘 되자 부지 가격이 올라 큰 시세차익을 보기도 했고, 주차장으로 활용하여 많은 돈을 절감하기도 했다.

과거도 지금도 병원경영은 의료부동산업이라 할 정도로 부동산이 경영에 미치는 영향이 막대하다. 저자는 경영 컨설팅 또는 협력경영을 하면서 임대로 있던 병원 부동산은 물론, 병원 옆 부지 그리고 공공부지를 직접 협상하여 낮은 가격에 구입할 수 있게 했다. 또 개발이 불가한 부지를 기부채납하고 건물용적률을 상향시키자는 역발상의 전략을 성공시키기도 했다. 협상이 불가능하다던 부지를 매입했고, 부지 매입 후 프로젝트 파이낸싱(PF)을 일으켜 중소병원으로서는 상상할 수 없었던 규모의 주상복합건물을 세웠다. 병원도 확장하고 부동산 개발이익도 확보했다.

큰 자본을 들이지 않고 500병상이 넘는 분원을 개원한 어느 대학병원의 사례도 있다. 이 병원은 개발업자의 분양수익을 공유하는 새로운 개발 컨셉을 개발하고 실행에 옮겨 자본 투입을 크게 줄였다. 이런 결정은 갑자기 할 수 있는 게 아니다. 평소에 병원의 확장계획이 포함된 장기발전계획을 마련하고 있어야 가능하다. 그래야 기회가 보이고, 기회가 왔을 때 이를 잡을 수 있다. 여유자금이 생긴 후에 하겠다면 이미 늦었다. 당장 자금이 없어도 괜찮다. 병원의 돈이 없어도 이를 채울 다양한 금융기법들이 있다.

환자와 구성원이 공존하는 공간을 아름답게

병원은 아픈 사람이 많이 모이기 때문에 분위기를 가급적 밝고 유쾌하게 해야 한다. 병원 분위기에 따라 멀쩡한 사람이 아플 것 같기도 하고 아픈 사람도 나을 것 같은 느낌을 준다. 산만한 조명, 혼란한 사인물, 낙후된 시설, 지저분한 청소상태 등에 대한 고객의 불만을 비본질적인 요구라고 치부해서는 안 된다.

환자의 소득이 높아질수록, 사람들이 평소에 사용하는 공간이 쾌적해질수록, 병원 공간의 쾌적성과 편의성에 대한 요구는 높아질 수밖에 없다. 이런 변화를 피하기보다는 적극적으로 활용하여 환자들에게 즐거움을 줄 방법을 찾아야 한다. 병원의 구석구석을 청결하게 하는 것은 물론 아름답고 특별하게 꾸며야 한다. 병원이 쾌적하고 아름다우면 환자와 보호자가 좋아할 뿐 아니라 병원 구성원도 즐겁고 행복해질 것이다. 이러면 병원의 경쟁력이 오르지 않을 도리가 없다.

흔히 소홀하기 쉬운 것이 구성원을 위한 공간이다. 근무 공간은 물론 학습이나 휴식을 위한 공간도 지속적으로 점검하고 개선해야 한다. 특히 청소나 경비를 담당하는 분들의 휴식공간을 각별히 살펴야 한다.

모 대학병원의 병원장은 취임하는 날 청소를 담당하는 여사님들과 점심을 함께 했다. 커피를 테이크아웃하여 그들이 쉬는 공간을 찾았다. 에어컨도 잘 나오지 않는 지하의 좁은 방이었다. 병원장은 신발을 벗고 들어가 앉아 이런저런 이야기를 나누다 지하 방을 나왔다. 그로부터 얼마 지나지 않아 지하 방 옆에 있는 복도를 통합하여 공간을 넓히고 가구를 넣고, 에어컨을 바꾸었다. 이런 사실이 전 병원에 알려지면서 구성원을 아끼는 병원장의 따뜻한 마음이 회자됐다. 작은 공간의 변화가 감동을 몰고 왔다. 공간의 변화는 단순히 물리적 변화에 그치지 않는다. 무엇을 더 소중하게 생각하는지, 얼마나 세심하게 배려하는지를 표현해주고 때로는 병원의 정체성과 지향하는 가치까지 드러내는 역할을 한다.

8

알려지지 않으면
존재하지 않는 것이다

부모가 자식을 사랑하는 것 못지않게
자식이 부모가 자신을 사랑한다고 느끼게 하는 것이 더 중요하다.

「 엘리오 」

병원에서 홍보가 더욱 중요한 이유

식당은 음식 맛만 좋으면 손님이 많이 찾는다며, '병원은 진료만 잘하면 된다'고 생각하는 병원장이 적지 않다. 그러나 맛 좋기로 유명한 식당도 TV 출연을 비롯하여 다양한 홍보를 한다. 유명한 맛집이 많아져서 맛집 사이에서도 경쟁이 있기 때문이다. 그런데 병원은 식당과 엄청나게 다른 점이 있다. 음식 맛은 누구나 쉽게 알 수 있다. 하지만 의료의 질은 환자들이 판단하기 어렵다. 충분한 의료지식과 정보를 가지고 있지 않기 때문이다. 그래서 의료의 질을 의사의 이력, 인상, 친절 등으로 판단하는 것이 일반적이다.

그런 특성 때문에 최상급 실력인데도 알려지지 않은 의사도 있고, 평균 정도의 역량인데도 명의로 대접받는 의사도 있다. 의료의 질이 높은 의사나 병원도 결국은 환자가 알아줘야 생존하고 번성한다. 그렇기에 경영자는 의료품질이 탁월한 병원을 만드는 것에 그칠 게 아니라 실력과 성과를 알리는 데 힘써야 한다.

어느 노벨상 수상자는 '노벨상을 받은 후 나는 바뀐 것이 없는데, 내 말을 듣는 청중들이 너무 달라졌다'고 말했다. 그의 실력은 변한 게 없는데 노벨상이라는 브랜드가 그의 말을 더욱 신뢰하게 했던 것이다. 마찬가지로 병원과 의사의 실력에 변화가 없어도 홍보를 통해 브랜드가 알려지면 진료나 수술에 대한 환자의 믿음이 더욱 커지게 된다. 꾸준한 홍보로 고객의 기억에 브랜드를 각인시키면 충성고객을 만들어내고, 병원 직원들의 자부심이 올라가며, 우수한 의료 인력의 확보도 손쉬워진다. 이 같은 '브랜드 효과'는 새로운 비즈니스 기회를 창출하는 지렛대가 되기도 한다.

Case. 13

15년 전에 지방의 한 대형병원에서 뇌신경분야를 전문화하였다. 신경과, 신경외과, 정신과, 재활의학과, 마취통증의학과, 영상의학과의 전문의를 모으니 12명이 되었고, 이들의 사진과 함께 지역신문의 1면 하단에 뇌신경전문병원이 개원한다는 광고를 실었다. 개원 3개월 전부터 매주 광고를 내보냈는데, 뇌신경전문병원이 오픈하자마자 환자가 밀려들었고, 병상가동률이 급격히 상승했다. 엄청난 광고효과를 본 것이다. 당시에는 전문병원 제도가 없었기에 '뇌신경전문병원'이라는 타이틀이 생소하면서도 강력한 인상을 줬던 것으로 보인다. 또, 의료분야에서는 광고를 하지 않던 시절이라 그저 전문의의 규모를 내세운 개원소식조차 큰 광고효과로 이어진 것이다.

광고와 관련된 금언 중에는 광고의 중요성을 알아갈수록 광고의 효과는 떨어진다는 말이 있다. 모두가 광고의 중요성을 알면 광고를 많이 하기 때문에 광고를 해도 그 효과는 덜하다는 얘기다. 지금은 TV, 블로그, 유튜브 등 각종 매체에서 의료분야의 광고가 차고 넘치기 때문에, 광고를 해도 색다르고 특이하게, 전략적으로 해야만 효과를 볼 수 있다.

그러기 위해서는 홍보의 기능적 측면에만 치우쳐선 안 된다. 병원의 전반적인 브랜드 이미지를 어떻게 형성할 것인지, 또 현재 추구하는 전략에 맞는 홍보개념과 방식은 무엇인지, 이를 담은 홍보전략계획을 수립해야 한다. 콘텐츠를 만들고, 매체를 선택하고 시행하는 기능적인 것들은 대행사를 활용하면 된다. 전반적인 계획 없이 산발적으로 벌이는 홍보는 비용은 많이 들지만, 기대한 만큼 효과를 거두기 어렵다.

준비되지 않은 홍보는
디마케팅을 초래

손님을 맞기 전에는 청소부터 하는 것이 기본이다. 그런데 자신의 집이 지저분한 줄 모르면 청소할 생각조차 못한다. 이런 병원들이 적지 않다.

Case. 14

L병원은 너무나 흔한 이름이고 옛날식 로고와 붓글씨의 서체를 유지하고 있었다. 온라인에서 첫인상을 결정짓는 홈페이지도 구식이었다. 모바일 홈페이지도 없어 스마트폰으로 들어가도 PC 버전으로 전환되었다. 인터넷에서 병원이름을 검색하면 의료사고 기사, 환자 불만사항 그리고 병원의 장례식장 소식만 가득했다.

첫인상을 결정짓는 병원 정문에서 1층 외래에 이르는 시설들은 낙후되고 지저분했다. 사인물은 혼란스러웠고, 간판은 병원명 일부가 떨어져 있거나 불이 들어오지 않았다. 저자가 처음 방문했을 때 충격적인 수준이었는데 병원의 구성원은 물론 경영자들도 이를 모르거나 심각하게 생각하지 않았다.

이런 상태를 방치한 채 이런저런 홍보를 하는 것은 안 하는 것만 못하다. 홍보를 보고 내원한 환자는 실망하고, 나쁜 소문을 퍼트린다. 일시적으로 환자가 늘어날 수 있지만 시간이 지날수록 역효과가 난다. 본격적인 홍보를 하려면 불쾌한 인상을 주는 것들만이라도 시급히 정비해야 한다. 그리고 질문해보아야 한다. 처음 방문한 환자가 다시 오고 싶은 병원이라고 느낄지.

L병원은 홍보하기 전에 이 같은 기본적인 조치를 먼저 했다. 병원의 미션과 비전을 고려하여 병원명을 리뉴얼하고 병원의 상징 이미지(HI·Hospital Identity)를 수정, 보완하여 깔끔하고 밝은 이미지로 바꾸었다. PC나 스마트폰 버전의 홈페이지에서 온라인 진료예약과 콜센터의 연결이 쉽도록 바꾸었다. 또 전문화 분야, 고객서비스, 시설과 장비 등 병원이 가진 특장점을 강조하는 내용으로 개편했다.

환자 최접점인 정문에서 외래공간까지 원내 사이니지를 포함한 홍보물을 깔끔하게 정비했다. 외래공간의 주요 벽면에 전문센터와 의사들의 주특기와 대표적인 경력을 붙여서 내원고객은 물론 구성원들도 알 수 있게 했다. 본격적인 홍보를 하지 않았는데, 이것만으로도 환자의 반응이 매우 좋아졌다.

홍보는 가까운 곳에서부터

병원이나 의료진의 평판에 대해서 환자는 누구의 말을 가장 신뢰할까? 정답은 '내부 직원'이다. 특히 내부 직원의 부정적인 평가에는 더욱 힘이 실린다. 가까운 곳에서 오랫동안 같이 생활한 사람의 평가이기 때문이다. 저자도 의사를 추천할 때 의료계 내의 평판 조회를 한 후 같이 근무하는 외래 간호사나 수술방 간호사에게 최종적으로 확인하곤 한다.

경영진단을 할 때, 구성원들과 내원고객을 대상으로 설문을 시행한다. 문항이 병원마다 다르지만, '가족과 친지, 지인에게 우리병원을 추천할 의향이 있는지' 문항은 언제나 포함된다. 주로 5점 척도를 사용했는데, 대부분의 병원에서 평균이 3점대 후반 수준의 점수가 나온다. 매년 조사를 하면 소수점 한자리의 작은 상승이나 하락이 나타나는데 그 의미를 해석하고 활용하기가 쉽지 않았다. 그래서 10여 년 전부터는 순고객추천지수(NPS, Net Promoter Score)를 활용한다. 추천한다는 편(10, 9)의 비중에서 그렇지 않다는 편(0~6)의 비중을 뺀 지수이다. 그렇기에 높은 점수가 나오기 쉽지 않다(그림 8).

그림 8. 순고객추천지수(NPS) 계산 방식

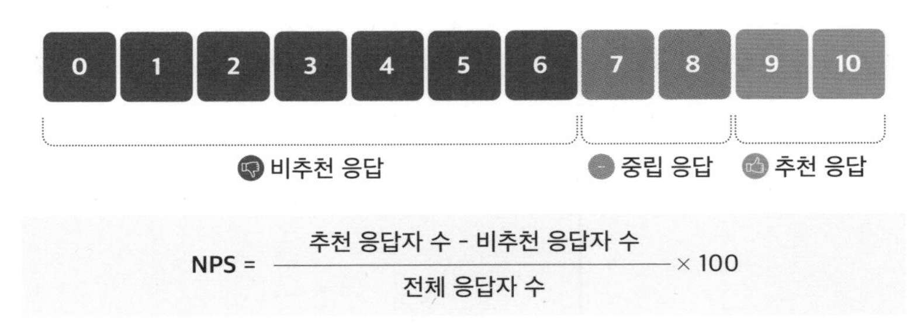

그런데 '가족과 친지, 지인에게 우리병원을 추천할 의향이 있는지' 문항에 대해 고객이 매긴 NPS는 +10 내외로 평균 이상인데, 병원 내 의사와 간호사가 준 점수는 마이너스인 병원들이 매우 많다. 이런 병원 중에는 실제로 병원의 실력

이 없는 게 아니라 구성원들이 의료진에 대해 잘 모르거나 왜곡된 정보를 가진 경우가 많다. 그래서 주변에 우리병원을 추천하지 않는다고 답한 것이다. 심지어 주관식 설문에 '우리 가족은 절대로 데려오지 않는다', '주변에서 우리병원에서 수술 받는다고 하면 뜯어말린다'라는 식으로 적는 이도 있다. 경영진과 직원들은 가족, 친지 환자를 다른 병원에 보내면서 지역주민에게는 우리병원에 오시라고 홍보하는 것이 얼마나 효과가 있을까?

L병원의 홍보전략을 기획한 후 병원의 장점들과 차별화를 위한 전략을 병원의 모든 구성원과 공유했다. 의사들이 직원을 대상으로 질환별 건강강좌를 진행했다. 그들과 다른 구성원들 사이의 간극을 좁히는 취지였다. 이를 통해 직원들은 진료과장의 주특기도 알게 되고 친밀도도 높아졌다. 이런 과정을 거치면서 구성원들이 가족과 지인을 소개하는 경우가 많아졌다. '병원 내 홍보' 전략이 먹힌 것이다.

전(全) 직원과 그 가족이 홍보대사가 된다면

어느 대학병원에서 저자가 목격했던 일이다. 할머니가 엘리베이터에 늦게 타시자 이송을 담당한 간호조무사가 문을 잡아주었다. 엘리베이터 문이 닫히자, 그는 "할머니, 어떤 분에게 진료 받으셨어요?"하고 여쭈었다. 할머니가 홍길동 교수님이라고 답했다. 그러자 그는 할머니는 정말 운이 좋으신 거라며 그 교수님의 자랑을 늘어놓았다. 자신의 가족도 그분에게 수술을 받았고, 그분에게 수술 받고 낫지 않은 사람이 없다, 인품도 좋고 정말 명의 중 명의라는 둥 로비로 내려가는 그 짧은 시간에 입에 침이 마르게 칭찬했다. 할머니의 얼굴에는 웃음이 퍼졌다. 아마 교수님을 더욱 신뢰하게 되었을 것이다. 실제로 그 교수님의 진료과정도 좋았을 것이고, 치료도 잘 되었을 것이라고 저자는 확신한다.

일반적으로 병원에 이렇게 훌륭한 직원이 몇이나 될까? 저자는 그분을 보고 직업인으로서 최선을 다하는 열정과 진심에 머리가 숙여졌다. 그분 덕분에 할머니는 행복했을 것이고 병원과 교수님의 이미지가 엄청나게 좋아졌을 것이다. 아마도 할머니는 집에 가서 그를 만난 이야기를 신나게 했을 것이다. 저자가 이 이야기를 그 교수님께 전해드렸더니 너무 기뻐했다. 지금도 환하게 웃던 표정을 잊을 수가 없다. 원래 훌륭한 인품을 가진 분이지만, 그 이야기를 들은 교수님은 환자들을 더 정성스럽게 치료하고, 병원 구성원들을 계속해서 더 잘 대하겠다는 생각을 가졌을 것이다.

병원에는 수많은 직원들이 근무한다. 작은 병원이라도 200명, 대학병원이라면 3,000명은 훌쩍 넘는 직원이 함께 일한다. 이들의 가족, 친지, 친구들이 우리병원에 대한 충성도가 있다면 그것은 병원의 안정적인 운영에 확고한 기반이 된다.

병원의 모든 직원들이 앞선 간호조무사처럼 처신해 주기를 기대하는 것은 무리일 수 있다. 하지만 적어도 우리병원의 특장점이나 의료진의 실력 등에 대해 잘 모르는 '등잔 밑' 직원이 되게 해선 안 된다. 또 왜곡된 정보 때문이든 다른 이유에서든 우리병원에 오려는 지인들을 더 큰 병원, 더 브랜드가 있는 병원에 가라고 말하게 하는 상황을 방치해선 안 된다. 어느 조직에서건 홍보는 조직 내부부터, 가까운 곳부터 이뤄져야 한다.

홍보는
혁신의 동력이 될 수 있다

자랑거리가 없는 병원이 환자에게 치료를 맡겨달라고 권하기 어렵다. 이에 반해 '최초', '유일', '최고'와 같은 특징을 많이 가진 병원과 의사일수록 홍보하기 좋다. 지역 내 유일한 전문센터, 유일한 프로세스나 장비, 최신의 치료법 활용, 최다의 수술기록을 가진 의사와 같은 자랑거리는 핵심적인 홍보콘텐츠가 될 수 있기 때문이다.

이런 기준으로 보면 내세울 게 없는 병원들이 더 많다. 그렇다고 없는 사실을 거짓으로 홍보할 수는 없다. 거짓 홍보는 오히려 역풍을 맞는다. 그래서 홍보를 준비할 때, 우리병원이 내세울 게 뭔지를 생각할 수밖에 없다. 홍보의 내용을 규모(Size), 의료진(Staff), 전문화(Specialty), 서비스(Service), 장비(Spec) 등 5가지로 구분하자. 그리고 최초, 최신, 최다, 최고, 유일이라는 5가지 관점에서 병원을 점검하자. 그러면 이 과정에서 차별화 포인트를 발견하거나 미흡한 점이 발견될 것이다. '없는 것'의 발견은 '새롭게 만들 것'의 필요를 강화하게 된다. 이것이 홍보혁신의 동력이 된다.

L병원은 당장 활용할 강점과 향후 보완사항이 포함된 차별화 전략과 일정을 세웠다. 전략의 성과가 나와야 홍보에 활용할 수 있기에 조기에 성과를 내려는 분위기가 형성되었다.

원내 이벤트, 환자의 칭찬 사례, 의사의 외부 활동 등 크든 작든 성과가 나오는 대로 보도자료를 배포했다. 이로 인해 이전에 포털에서 병원을 검색하면 화면 위쪽에 배치돼 있던 부정적인 기사나 장례식장 등 진료와 무관한 글들이 아래에 내려가게 되었다. 대기업에서도 자기 회사에 불리한 기사가 나오면 여러 건의 보도자료를 배포해 이런 식으로 '기사 밀어내기'를 한다.

L병원은 병원의 대표적인 전문센터와 우수 의사들을 소개하는 글을 매체에 우선적으로, 집중적으로 내보내었다. 평소 활발하고 언변에 자신 있는 의사는 방송이나 유튜브를 했고, 내향적이지만 집필에 강한 의사는 신문 기고나 칼럼 등을 썼다. 몇 달이 지나자 방송, 유튜브, 보도기사, 블로그, 카페의 활동이 쌓이면서 온라인마케팅이 활성화되었다.

홍보도
전략적으로 실행해야

모든 병원이 연간 억대의 비용을 쓰며 TV에 홍보하기는 어렵다. 그렇다고 해서 싼 매체에 이리 찔끔 저리 찔끔하는 식의 홍보는 별 효과가 없다.

대학병원에서 최초로 홍보를 잘한 것이 이화의료원이다. 동대문병원과 목동병원을 통합하는 시점에 여성암전문병원을 다양한 매체에 일관된 메시지로 집중적으로 홍보함으로써 병원 통합에 대한 부정적인 인식이 퍼질 수 있는 여지를 없애버렸다. 뿐만 아니라 전국적인 인지도를 확보하기 위해 공항의 카트나 전국 KTX역에 홍보를 집중해 지방환자 유입에 큰 효과를 보았다.

이처럼 홍보의 효과를 극대화하기 위해서는 먼저 홍보 목적, 우선순위, 홍보과제별 콘텐츠와 매체, 소요예산과 일정 등이 담긴 홍보전략계획을 수립하고, 그 계획에 따라 체계적으로 실행해야 한다. 일반적으로는 병원 내부에서 홍보를 먼저 하고 그다음 외부로 향해야 한다. 내부에서 홍보를 하는 동안 부족한 점을 채우고 다듬어서 관련 유튜브, 블로그, SNS 등 매체별로 확산해야 한다.

병원 차원의 브랜딩이든, 특정 진료분야나 의사들을 홍보하는 것이든 온라인과 오프라인을 동시에 동원해야 한다. 일관된 메시지를 꾸준히 제시하고 일방적, 단발성 홍보가 아니라 환자나 고객의 참여를 유도해야 한다. 수립한 계획에 따라 일정 기간 반복하면서 의도한 지표의 수준을 살펴 매체별 지속 여부를 판단해야 한다. 이런 작업을 하려면 추진 주체를 확보하는 것이 필요한데 내부에 적임자가 있으면 이들에게 힘을 실어주어야 한다. 전문화된 다양한 홍보대행 기관들이 있기 때문에 초기에는 이들을 활용하여 역량을 키우는 것도 좋은 방법이다.

9

원가절감은 수익증가보다 20배의 효과가 있다

깨진 독에 물을 붓지 말아라.

새는 구멍을 막은 다음에 물을 부어라.

「 이건희 」

구매역량이 경쟁력을 좌우한다

의사인 병원장들은 진료수익을 올리는 데는 매우 관심이 많다. 자신들이 잘 아는 분야라서 그럴 것이다. 이에 반해 비용을 관리하는 데는 상대적으로 소홀하다. 하지만 경영수지의 관점에서 보면 수익증가효과보다 비용절감효과가 20배의 효과가 있다. 평균적으로 진료수익의 증가가 이익에 미치는 영향은 5% 미만이다. 즉, 100억 원의 진료수익이 올라가면 5억 원의 이익이 발생한다. 하지만 비용은 줄이면 이익에 미치는 영향이 100%이다. 100억 원의 비용을 줄이면 100억 원의 이익이 발생하기 때문이다.

비용을 잘 관리하기 위해서는 구매를 잘해야 한다. 인력 채용도 지식과 노동에 대한 구매로 볼 수 있듯이 비용의 대부분은 구매행위로 발생한다. 비용절감이라는 측면에서는 무조건 싼 게 좋겠지만, 구매는 그리 간단하지 않다. 구매하는 인재, 원재료, 장비 등의 품질에 따라 생산되는 제품이나 서비스의 경쟁력에 치명적인 영향을 주기 때문이다. 그래서 세계적인 경영의 구루인 마이클 포터는 구매역량이 기업경쟁력의 핵심요소이고, 지식산업에 속한 기업에서는 더욱 중요하다고 강조한 바 있다.

기성제품이나 표준화된 제품은 가격이 최우선 기준이 될 수 있다. 하지만 품질이 특별히 중요한 제품이나 표준화되지 않는 제품 및 서비스는 가격보다 품질이 우선적으로 고려되어야 한다. 가격보다 품질을 우선해야 하는 대표적인 예가 전투기라고 할 수 있다. 적군의 전투기보다 성능이 떨어지는 전투기를 싸다는 이유로 사는 것은 현명한 결정일 수 없다. 전투기는 최첨단이 아닐 때는 상대의 공격으로 격추되므로 성능이 떨어지는 싼 전투기는 전투기로서 의미를 가질 수 없다.

차별화를 위해 첨단장비를 구매할 때나 병원의 고질적인 문제를 해결하기 위해 전문서비스를 구매하는 경우도 마찬가지다. 이런 경우에 싸다고 구매하면 큰 대가를 치른다. '싼 게 비지떡'이다. 첨단장비를 통해 차별화를 꾀하려 할 때는 그 목적에 맞게 결정해야 한다. 중입자 치료기, 양성자 치료기, 사이클로트론 등 수백억 원에서 수천억 원을 하는 고가장비들이 늘어나고 있다. 잘못된 구매를 했을 때 고가장비임에도 목적을 달성하기는커녕 제대로 사용하지도 못하는 경우가 적지 않았다.

그림 9. 사이클로트론 장비 평가 사례

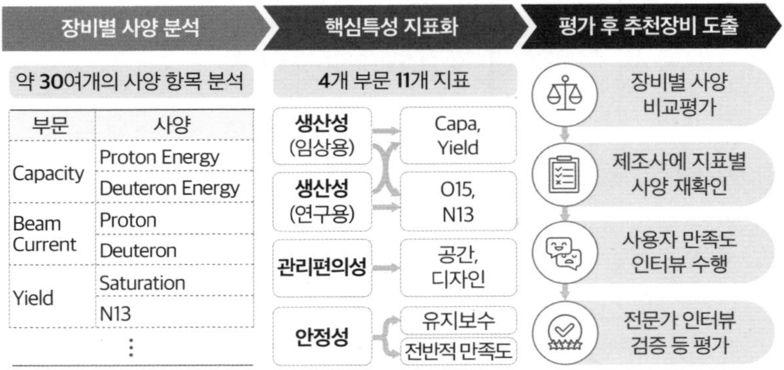

장비별 사양 분석 → 핵심특성 지표화 → 평가 후 추천장비 도출

장비별 사양 분석

약 **30**여개의 사양 항목 분석

부문	사양
Capacity	Proton Energy
	Deuteron Energy
Beam Current	Proton
	Deuteron
Yield	Saturation
	N13
	⋮

핵심특성 지표화

4개 부문 **11**개 지표

- **생산성** (임상용) → Capa, Yield
- **생산성** (연구용) → O15, N13
- **관리편의성** → 공간, 디자인
- **안정성** → 유지보수, 전반적 만족도

평가 후 추천장비 도출

- 장비별 사양 비교평가
- 제조사에 지표별 사양 재확인
- 사용자 만족도 인터뷰 수행
- 전문가 인터뷰 검증 등 평가

꽤 오래전부터 선도 대학병원은 고가장비를 구매할 때 내부의 의견에만 의존하지 않고 전문기관을 활용하고 있다. 전문기관은 이미 도입한 국내외 병원의 사례와 성능, 제조사 간의 기능과 가격 비교, 타 장비와의 연계 가능성, 다음 버전이 나올 예상 시기, 다음 버전과 예상되는 기능 격차, 유지보수를 포함한 적정가격 등을 분석한다. 이를 토대로 장비의 도입 타당성과 가격조건, 옵션, 유지보수 등의 계약조건이 포함된 협상전략에 대한 대안을 제시한다.

병원의 큰 변화를 가져오는 중요한 의사결정을 하거나 새로운 제도를 도입할 때도 전문기관을 활용하게 된다. 이때도 전문기관의 역량을 가격보다 우선해야 한다. 그렇지 않을 경우에 병원이 지불할 대가는 단순히 컨설팅 보수에 끝나지 않는다. 역량이 떨어지는 컨설팅 회사들은 최적의 부지가 아닌 다른 부지를 제안하고, 신축타당성이 없는데 있다고 제시하거나, 타당성이 없을 때도 적절한 수정안을 제시하지 못할 수 있다. 전문화 가능성이 낮은 분야를 전문화하라고 추천할 수도 있고, 갈등유발형 성과급을 설계할 가능성도 있다.

그런 컨설팅은 보고서를 받아도 실행하기가 어렵다. 근거가 부실하고 설득력이 없거나 부작용이 많을 것이라는 의심이 든다. 실행하려니 자신이 없고, 그렇다고 해서 사장(死藏)시키려니 왜 컨설팅을 했냐고 비난받기 십상이다. 이래저래 부담이다. 한 번 잘못된 설계나 실행은 다시하기도 어렵고, 다시해도 성공하기 어렵다. 재수술이 더 어려운 것과 같은 이치다. 환자는 처음부터 의사를 잘 만나는 것이 중요하듯이 병원장의 가장 중요한 역할 중 하나는 병원의 당면과제를 명쾌하게 풀어주는 컨설팅 회사를 선택하는 것이다.

마른 수건보다
젖은 수건을 짜야

경쟁이 심해지는 상황에서 환자를 증가시켜 수익을 높이고자 하는 노력은 갈수록 힘들어진다. 이익규모에 영향을 더 많이 끼치는 비용절감에 관심을 가질 필요가 있다.

비용은 인건비, 재료비, 관리비로 구성된다. 손익계산서상의 인건비 외에 관리비에 포함된 복리후생비 등 인건비성 비용을 포함하면 실제 인건비는 40%에서 60%를 차지한다. 인건비 관리가 중시되는 이유다. 인건비가 수익의 60% 이상을 넘어서는 안 된다는 원칙이 회자되곤 한다.

그런데 급여, 퇴직급여, 4대 보험료와 같은 인건비성 비용은 인력을 줄여야 하는데 이는 결코 쉽지 않다. 노동법의 문제는 별개로 하자. 의사수를 줄이면 비용 감소 규모보다 수익이 훨씬 많이 줄어든다. 간호사 등의 인력을 줄이면 업무량이 늘어나 서비스의 질이 떨어진다. 급여 수준을 낮추면 의사나 간호사의 영입전쟁에서 이길 수가 없다. 그런데 급여 수준과 직종별 인원을 타이트하게 관리하는 병원이 한 번에 수억 원에서 수백억 원의 금액이 들어가는 장비계약이나 물품 단가계약은 쉽게 하는 경우가 적지 않다.

총비용 중 재료비가 약 30% 정도가 되고 재료비 이외에도 계약을 통해 발생하는 비용을 합치면 약 40%에 이른다. 약, 소모품, 수술재료, 시약, 의료가스, 린넨은 물론 용역, 검사수수료, 유지보수료 등의 비용들은 모두 구매계약을 통해 발생하는 비용이다. 앞서 말한 바대로 비용절감이 수익증가보다 이익에 미치는 영향이 최대 20배 크다. 구매라는 젖은 수건을 잘 짜야 한다.

모두가 협상에는 자신이 있다?

대학병원 경영자는 구매에 관심을 잘 두지 않는다. 잘 모르는 경우도 있지만, 관심을 두면 회사와 유착을 의심받기도 하기 때문이다. 물품 사용부서는 특정 제품을 콕 찍어서 구매해 달라고 요구하는 경우가 허다하고, 총무과나 구매과에서 실무적으로 처리하기 때문에 경영진이 개입할 여지도

별로 없다. 이런 경우는 개입할 수만 있다면 비용 절감의 여지가 크다.

중소병원 경영자는 구매에 관한 협상경험이 많기에 상당한 자신감을 가지고 있다. 이는 상대가 협상을 잘했다고 생각하게 만드는 영업 전문가들의 능력 때문일 수도 있다. 구매관리는 그리 만만한 게 아니다.

어느 병원의 요청을 받고 분석해보니 가격, 기능, 부수적인 혜택, 유지보수 등 여러 조건에서 다른 병원보다 불리한 경우가 많았다. 심지어 비품이나 사무용품을 중고제품으로 들여오면서 신품보다 더 비싸게 구매하는 터무니없는 경우도 적지 않았다. 시약은 구매한 물량이 사용되지도 않고 다시 회사로 돌아간 경우도 있었다. 유착으로 인한 경우가 없지 않았지만, 대부분은 인력의 부족이나 잦은 이직으로 전문성이 쌓이지 않은 경우 이런 일이 발생한다.

구매에 관심 있는 경영자는 간납회사를 활용하거나 합작법인을 설립하기도 하는데, 예상한 정도의 비용절감이 되거나 배당이 이루어지는 경우는 드물다. 그러다 보면 거래관계가 틀어지기도 하고, 직원들이나 업계 관계자의 투서문제가 발생하기도 한다. 그로 인해 병원장이 수사기관에 출두하는 경우도 보게 된다.

그림 10. 합작법인의 수익구조와 배당으로 인한 효과

합작회사	금액	비고
매출총이익	100	병원 비용 절감가능금액
판매관리비 등 제비용	(30)	합작회사의 인건비 등
법인세 차감 전 순이익	70	
법인세 (20%)	(14)	
법인세 차감 후 순이익	56	배당 가능한 이익
병원 관계자 배당 (49.9%)	28	의약품 도매상의 경우는 병원 및 관계자의 비율이 50% 미만
종합소득세 (49.5%, 지방세 포함)	(13)	대부분 최고세율을 넘어서기 때문에 최고세율 적용
세후 현금	15	배당에서 종합소득세를 차감한 금액

합작법인을 만드는 게 효과적인 방법일까? 개략적인 구조를 살펴보자. 병원이 입찰을 잘하면 100억 원의 비용절감을 할 수 있는 경우를 상정해보자. 합작법인을 만들면 병원이 절감할 100억 원의 일부가 합작법인의 매출총이익이 된다. 여기에서 합작법인의 관리비와 기타비용을 빼면 이익은 70억 원 정도가 된다. 여기서 법인세(약 20%)를 납부하면 56억 원이 법인세 차감 후 순이익이 된다. 이 중 49.9%에 해당

하는 배당을 받으면 28억 원이고, 최고세율의 소득세를 내면 15억 원의 현금이 남는다.

병원이나 병원 관계자는 법적으로 약 도매상의 지분을 50% 이상 가지지 못하도록 되어 있다. 우선주 등의 방식을 동원하는 경우도 있지만, 이도 역시 불법이다. 그래서 합작병원의 이익에서 법인세를 낸 뒤 50% 미만의 배당을 받게 된다. 결과적으로 병원 입장에선 100억 원의 비용절감이 가능한데 합작법인을 만들면 관계자에게 15억 원의 현금이 돌아가게 된다. 합작회사를 설립해야 하는 다른 목적이 있다면 그것은 별론이지만 병원의 재정확보라는 측면에서 보면 합작회사 설립은 효과적이지 않다.

그림 11. 의료기기 간납사에 대한 언론 보도[9)]

의료기기 간납사 조사 마무리 수순… 언제 폭탄 터질까

전국 종합병원 및 간납업체 대상 심층 실태조사 분석중
복잡한 유통구조와 새 정부 출범 따른 인사이동 등 관건

의료기기 유통 구조의 어두운 그늘로 꼽히는 간납사들의 행태에 대한 조사가 마무리 수순에 들어가면서 언제, 어떤 방식으로 이에 대한 결과가 공개될지 관심이 모아지고 있다.

정부가 부처 단위 TF팀을 구성해 전국 종합병원과 간납사들을 대상으로 의약품과 같이 진료재료도 간납사의 특수관계자 지분을 50% 미만으로 제한하고, 3년마다 의료기기 구매현황과 불공정거래 실태조사를 시행하는 법안이 국회에 계류 중이다. 특수관계자에게는 의약품이든 진료재료든 간납사의 지분 취득을 허용해서는 안 된다는 입법 분위기가 형성되고 있다(그림 11).

적법하고,
효과적인 방법이 있다

Case. 15

M대학병원은 재료비율이 비교병원보다 무려 4%p나 높았다. 특정회사를 내정하고 유찰을 막기 위해 들러리 회사를 참가시키는 형식적인 입찰이 이루어지고 있었다. Case. 16 N중소병원은 의약품을 20년 전부터 병원장의 지인이, 진료재료는 주요 품목의 지역 독점권을 가진 회사가, 시약은 특정 제조사 장비만 고집하여 10년간 동일회사가, 외주검사는 6년 전 계약하여 두 차례 연장한 회사가 공급하고 있었다.

높은 재료비의 심각성을 인식한 경영진은 구매베테랑을 참여시켜 입찰의 문제점을 분석한 후 새로운 방식으로 입찰을 실시했다. 먼저, 보다 많은 제조사, 도매상, 메디칼 회사가 참여할 수 있게 실질적인 경쟁구조를 설계했다. 사용부서에서 특정제품을 고집하면 경쟁을 제한시키기 때문에, 입찰 규격서에 복수의 제품을 요청할 수 있게 협조를 구했다.

이를 토대로 원가를 최대한 절감할 수 있는 입찰구조를 설계하고 예정가격을 설정했다. 입찰구조를 단순화하여 영업 소재지 등 불필요한 자격요건을 제거했다. 입찰설명회, 주요 회사 협조요청, 투찰 즉시 현장개표 등을 통해 입찰이 투명하다는 믿음을 주었다. 그 결과 M대학병원에서는 재료비 대비 11%(60억 원)의 절감을 했고, N중소병원에서는 16%(28억 원)의 비용 절감효과가 나타났다. 평균이익률이 5%라면, M대학병원은 1,200억 원, N중소병원은 560억 원의 매출을 올려야만 낼 수 있는 이익규모이다.

구매와 관련해서 내부에 전문성을 갖추게 하거나 전문기관을 활용해야 한다. 위험한 리베이트를 받지 않고, 법규를 준수하면서도 리베이트보다 훨씬 많은 금액의 비용을 절감할 수 있기 때문이다.

전략적 구매를
위한 3가지 준비

원가절감을 할 수 있는 구매방식을 전략적 구매라 하자. 전략적 구매를 성공하기 위해서는 최소한 3가지의 요건을 갖추어야 한다.

첫째, 현재 의약품과 재료에 대한 자료를 기초로 절감 폭을 계산할 수 있는 제품별 원가를 확보한다. 그래야만 적합한 예정가격 작성과 입찰규격서 등을 비롯하여 최적의 입찰과정을 운영할 수 있다.

둘째, 의료진 등 실제 사용자와 입찰규격서에 대한 공감대를 형성한다. 이를 위해서는 입찰의 전 과정에 걸쳐 법률, 회계, 전산, 물류에 대한 전문성을 갖추고 의료진과 원활하게 소통할 수 있는 인재가 있어야 한다.

셋째, 지금까지의 관행을 벗어날 수 있는 체계를 구축한다. 절감효과가 크면 전임자의 무능이나 부정으로 여겨지거나 지역 업계와의 교류관계를 의심받을 우려가 있다. 새로운 인력이나 기관이 수행하되 전임자의 부담을 덜어주는 조치도 필요하다.

상당수의 병원이 적자에 허덕이고 있다. 일부 병원은 장기적인 발전을 위해 분원 설립이나 증축, 리모델링, 장비 도입 등 막대한 투자를 계획하고 있다. 어떤 경우든 외부자금의 조달이 절실히 요구되는 상황이다. 이때 차입금을 어떤 조건으로 얼마나 조달할 수 있는지는 병원의 이익률에 상당히 좌우된다. 이렇게 중요한 병원 이익률을 획기적으로 개선할 수 있는 길이 바로 '전략적 구매를 통한 원가절감'이다.

이익이 없으면 미션도 없다
(No Profit, No Mission)

'병원이 돈벌이를 해서 되느냐'고 비난하는 경우가 종종 있다. 돈벌이는 돈을 버는 일을 의미한다. 누구나 돈을 벌어야 생계를 유지하고, 자신이 하고 싶은 일을 할 수 있다. 그런데 왠지 병원처럼 좋은 일을 하는 단체는 돈벌이를 해서는 안 된다는 허위의식이 우리사회에 팽배해있다. '돈벌이'라는 말을 환자를 속여서 이익을 내는 것처럼 악의적으로 해석하기도 한다. 하지만 일시적으로 환자를 속일 수는 있어도 그런 방식으로 꾸준히 이익을 낼 수는 없다. 환자가 바보가 아니기 때문이다. 환자들에게 더 좋은 서비스를 제공하면서 수익성을 개선하려는 노력은 칭찬받아야 한다.

병원이 돈벌이를 하지 않으면, 어떤 현상이 일어날까? 첫째, 월급을 올려주지 못하고 월급을 깎거나 주지 못할 수도 있다. 둘째, 장비와 시설에 투자할 수 없게 된다. 이런 상황이 되면 환자에게 좋은 진료서비스를 제공할 수 없게 된다.

맛있는 식당에 손님이 많고, 손님이 많으면 흑자가 되고, 흑자가 되면 더 좋은 식단을 만드는 선순환(善循環)이 일어난다. 병원도 크게 다르지 않다. 수술 잘하고, 의료서비스가 좋은 병원에는 환자가 많고, 환자가 많으면 이익이 많이 나고, 이익이 많이 나면 우수 의료진, 시설과 장비에 투자할 수 있다.

그 결과 의료품질이 올라가는 선순환이 이루어진다. 역으로 적자가 나면 우수 의료진을 유지할 수 없고, 시설과 장비에 투자할 수 없어 의료품질이 떨어진다. 그러면 환자는 떨어지고, 적자 규모는 더욱 늘어나는 악순환(惡循環)의 고리에서 벗어나기 어렵다.

그래서 일본에서는 일경비즈니스를 비롯하여 많은 매체들이 병원의 흑자를 매우 중요하게 여긴다. '만성적자인 병원에 당신의 목숨을 맡기겠습니까?'라는 자극적인 문구를 걸고, 일본 병원의 경영능력을 평가하여 발표하기도 한다. 즉 만성적자를 보는 병원은 의료품질이 낮고, 흑자를 보는 병원은 의료품질이 높을 가능성이 많다는 것을 시사하고 있다. 미국의 비영리재단조차도 이익을 많이 내는 것에 집중한다. 왜냐하면 이익을 내지 않으면 좋은 일을 지속적으로 할 수 있는 재원이 없어지는 것은 물론 그 재단이 존립할 수 없기 때문이다. 그래서 이익이 없으면, 미션도 없다(No profit, No mission)는 말은 그들이 매우 중요시하는 금언이다.

모든 조직은 이익이 나야 지속가능한 성장과 발전을 할 수 있다. 이익이 많이 나야만 투자를 할 수 있고 그 결과 좋은 서비스를 제공하거나 획기적인 서비스를 창출할 수 있다. 또한 직원들의 처우도 개선할 수 있다. 이미 대학병원 사이에서도 의사나 직원들의 급여나 복리후생의 차이가 많이 벌어져 있다. 이익이 많이 나는 병원에서 더 좋은 의료서비스가 이루어질 뿐 아니라 직원들의 처우가 높은 것이 현실이다. 만성적자인 병원에서 급여 인상이나 복리후생을 좋게 할 비법은 없기 때문이다. 중소병원이든 대학병원이든 관계없이 수익성을 획기적으로 개선하는 것은 모든 경영자의 능력을 가늠하는 제1의 기준이다.

10

윙맨 능력의 합이 경영자의 능력이다

훌륭한 리더는 최소한 3년 내 자기보다 3배의 성과를 높일 수 있는 사람을 세 사람 이상 육성해야할 책임이 있다. 경영자가 꿈꾸는 업적은 부하들의 능력을 통해 달성된다.

「 코오디어, GM 전 사장 」

병원장이 북 치고,
장구 친 대가

대학병원이나 중소병원이나 할 것 없이 의료원장이나 병원장이 나서지 않으면 움직이지 않는 병원이 적지 않다. 일반 직원은 그렇다 해도 부서장들도 알아서 챙기고 적극적으로 뛰는 일이 별로 없어 보인다. 답답한 마음에 병원장이 직접 나서면 '계장'이니 뭐니 하며 비난을 받곤 한다. 이런 고충이 있는 경영자들은 공통점이 있다. 그들 주변에 자신의 역할을 충실히 수행하여 그 일을 신경 쓰지 않게 하거나 경영자의 전략적 고민을 함께하는 훌륭한 윙맨(Wingman)이 적다는 것이다.

병원 구성원들에게 자유롭게 의견을 써달라고 설문을 하면, 일부 부서장들에 대해 아래와 같은 식으로 혹평하곤 한다.

"경영진이 잘못 지시해도 그대로 하니 로봇이랑 일하는 것 같다, 실수가 잦아 일이 두 배가 되는 건 기본이다, 세상이 바뀌어도 공부하지 않는다, 30년 된 공무원도 이보다는 더 열심히 할 것 같다, 병원이 망해도 퇴근시간을 지킬 것이다, 웃지는 않더라도 통명스럽지는 않았으면 좋겠다, 업무요청을 하면

무조건 다른 부서의 일이라고 한다, 본인 부서만 생각한다…" 전문성과 주인의식, 책임감에 대한 지적들이 주를 이룬다.

병원을 좀 알고 보면, 병원 보직 중에 소홀히 여길만한 한직(閑職)은 없다. 모든 직역이 중요하다. 특히 진료부원장, 행정부원장(행정처장), 기획실장, 간호부장, 총무부장, 원무부장 등 핵심 보직자의 역량에 따라 성과가 엄청나게 달라지는 것을 수없이 목격했다.

스포츠에서 감독만 바뀌었을 뿐인데 팀이 완전히 달라질 수 있는 것처럼 훌륭한 보직자 한 명은 그 분야의 성과와 분위기를 획기적으로 변화시킬 수 있다. 스타플레이어도 탁월한 윙맨(Wingman)이 있을 때 진가를 발휘하듯이, 이런 훌륭한 보직자들이 병원장 곁에 있어야 한다. 경영자들이 보직자를 탓하곤 하지만, 냉정하게 보면 보직자(윙맨)의 능력 합이 경영자의 능력이다. 훌륭한 윙맨을 만드는 것도 경영자의 핵심적인 역할이기 때문이다.

병원장이 북 치고, 장구 쳐야 한다며 하소연하는 경영자들이 많다. 하지만 자업자득인 경우도 적지 않다. 말로는 내가 할 일이 아니다, 이런 것 좀 안 했으면 좋겠다, 보직자들은 도대체 뭐 하는 사람들이냐고 타박하지만 결국 자신의 탓이다.

특정 분야에 대해 비판이나 문제가 생겼을 때는 해당 보직자에게 바통을 넘겨야 한다. 그런데 어떤 경영자들은 해당 보직자의 의견을 듣기도 전에 다른 사람과 의논하기도 하고 이런저런 자신의 의견을 제시한다. 그 순간 보직자는 그 분야의 리더가 아니라 심부름꾼이 된다. 그는 업무에 수동적으로 되고 병원장은 그가 더 답답하게 보인다. 그래서 더 참견하게 되는 악순환의 고리가 이어진다.

병원장이 북 치고 장구 친 결과는 병원의 생산력 저하로 나타난다. 직급에 맞는 적절한 역할분담이 되지 않아 자신의 능력에 걸맞지 않은 일만 하게 된다. 수술용 메스를 고기를 써는 데 사용하는 셈이다. 병원장이 보직자의 역할을 하게 되면, 보직자들은 실무자들의 역할을 하게 된다. 병원장은 병원의 미래를 구상하고 대외적인 네트워크를 형성할 귀한 시간을 빼앗기게 된다. 북 치고 장구 쳐야 하는 사람을 옆에 두고도 자신이 북 치고 장구를 치는 것은 어리석을 뿐 아니라 해롭기까지 한 일이다.

경영전략에 따라 조직을 개편해야

개원 초창기에 입사한 부서장들의 역량이 성장하는 속도는 병원 성장 속도에 미치지 못하는 경우가 대부분이다. 특히 중소병원은 보직을 순환하지 않아 다른 분야에 대한 경험이 없다. 그러면 담당 분야에서라도 전문성이 있어야 하는데, 업무방식과 수준이 과거와 별반 달라지지 않았다. 그래서 병원장은 그들을 믿지 않고 모든 일에 관여하게 된다. 그러나 이런 업무방식은 부작용이 더 크다. 부서장의 성장 기회를 박탈할 게 아니라 시간을 투여해서라도 병원장의 경영부담을 덜어줄 윙맨을 육성해야만 한다.

병원의 규모가 몇 배로 커졌는데도 조직은 그대로 방치하는 경우가 많다. 예를 들면 규모가 상당히 큰데도 여전히 총무팀 하나로 기획, 인사, 구매, 홍보 등을 수행한다. 많은 업무를 한 팀이 맡다 보니 보직자 한 명에게 권한과 책임이 몰린다. 주요 기능별로 한 명씩 담당하게 하면 배울 사람도 없고 교육도 받지 못한다. 혼자서 업무를 수행하고 팀장에게 보고한다. 이런 상황에서는 부서장들도 루틴한 운영업무에만 집중하여 전략적 업무를 소홀하게 된다. 게다가 새로운 전략을 세웠으면서도 기존 업무가 많은 팀장에게 그 전략 실행을 겸직시키는 경우가 많다. 새로운 전략을 추진하려면 추진조직을 신설하고 적합한 사람을 배치해야 한다. 그래야 전략을 신속하게 추진할 수 있고, 전문성도 쌓인다. '조직은 전략을 따른다(Structure follows strategy)'라는 챈들러의 금언을 새겨야 한다.

Case. 17

급성장한 O종합병원은 새롭게 경영전략을 수립하고 이를 신속히 추진하기 위해 조직을 신설하거나 재편했다. 기획실을 신설하여 전략기획팀, 의료혁신팀, 수가기획팀, 홍보팀을 총괄하게 했다.

의료혁신팀은 환자 만족도나 업무혁신을 위한 과제를 발굴하고 개선하는 역할을 담당했다. 구매와 외주회사 관리 등 유관 업무는 한 팀으로 묶었다. 콜센터와 진료협력센터를 신설하여 전담인력을 보강하고 신환유치와 고객관리기능을 대폭 강화했다. 먼저 내부공모를 통해 필요인력을 배치했는데, 적극적으로 일하겠다는 의사를 밝힌 일반직과 행정역량이 있는 간호사를 충원하게 되었다. 적임자가 없는 경우 외부공채로 충원했다. 주요 부서별 역량과 협조 정도 그리고 성과를 평가했다. 부서장은 3년마다 보직을 순환하도록 원칙을 세웠고, 평가가 우수한 부서장에게 보직 선택 우선권을 부여했다.

객관적 평가가
인재육성의 기본이다

개원 멤버들은 20년 가까이 보직을 맡았지만, 정년까지 10년 이상 남은 경우가 적지 않다. 일반직원들은 승진의 가능성도 거의 없고, 급여 인상률도 똑같다. 인사평가가 없거나, 있다고 해도 하향식 평가다보니 결과에 대한 수용성도 떨어진다. 모두가 똑같이 대우받는 상황에서는 열심히 일하거나 남다른 성과를 내려는 의욕을 보이지 않는다. 그러니 새로운 일을 추진할 때 추가 업무를 하겠다고 나서는 직원이 없는 게 당연하다.

Case. 18

P종합병원은 역량개발평가시스템과 부서 간 공유회를 통해 평가의 공정성과 투명성을 확보했다. 역량개발평가는 언

제 어디서든 평가할 수 있도록 핸드폰이나 PC에서 시스템을 활용할 수 있게 했다. 그리고 상위자 중심의 평가에서 벗어나 상위자, 하위자, 동료 간에 양방향으로 평가할 수 있고, 왜곡평가를 제거하는 보완장치를 만들었다.

부서간 공유회는 연 3회 개최했다. 연초에 부서업무계획과 주요 목표치를 공유하고 7월과 12월에 중간발표와 성과발표를 했다. 발표 후 매번 경영진과 부서장들이 평가했다. 발표에 대한 점수를 50% 반영하고, 부서별 지표에 대한 성과를 50% 반영했다. 공유회 참여를 꺼리는 부서장도 있어 처음에는 원하는 부서만 참여하도록 했다. 참여한 부서에는 격려금을 지급했고 평가가 좋은 부서원들에게도 적지 않은 격려금을 지급했다.

역량개발평가와 부서간 공유회에서 탁월한 평가를 받은 부서장은 보상수준을 획기적으로 올렸고, 우수 사례를 만든 부서나 직원은 별도의 포상을 했다. 두 가지 제도의 평가결과를 급여 인상, 보직 임면, 희망부서 배치, 우수 직원 포상 등 다양한 방면에 활용했다. 부서 간 공유회를 준비할 때 컨설턴트들이 발표 양식과 다른 병원의 사례를 제공하며 발표를 도왔다. 적극적인 부서장에게는 시간을 더 많이 할애하여 교육과 멘토링을 했다. 이런 방식은 자신이 실제로 수행하는 업무와 관련된 교육이기에 효과가 매우 컸다. 제도를 시행한 후 시간이 지날수록 다양한 효과가 나타났다. 발표를 준비하면서 부서원들이 모여 의견도 내고 상의를 하게 된다. 부서장은 생각을 가다듬고 반복해서 발표연습을 함으로써 발표력도 좋아졌다. 각 부서의 업무와 성과를 서로가 평가하기 때문에 다른 부서에 대한 이해도와 협조도가 높아졌다.

투자 없이
인재도 시스템도 없다

경영자라면 병원의 모든 고민을 믿고 의논할 수 있는 윙맨을 간절히 원한다. 그런 수준까지는 아니어도 자신이 담당한 영역을 믿고 맡길 수 있는 보직자들을 바란다. 그들이 있어야 일상 업무에서 벗어나 병원의 미래를 밝히는 역할에 집중할 수 있기 때문이다. 핵심인재나 시스템은 결코 저절로 만들어지지 않는다. 경영자의 꾸준한 관심이나 예산 등 수업료를 요구한다. 기업은 직급이 높아지고 임원이 될수록 교육을 많이 받는다. 하지만 병원의 보직자들은 교육을 거의 받지 못하는 게 현실이다. 일부 대학병원에서는 경영대학과 연계해서 MBA를 만들어 운영하기도 한다.

대학병원과 지방의료원 등에서 저자에게 병원경영아카데미의 프로그램을 설계하고 운영해달라는 제안들이 있었다(그림 12). 강의는 격주로 하루에 두 번 강의하고 토론을 했다. 대부분의 강사는 병원컨설팅 경험이 많은 임원들로 구성하고, 법률과 서비스 교육은 명성있고 검증된 강사를 초빙했다. 강의는 다른 병원의 사례 등과 비교해서 주제별로 그 병원의 현안과 문제점을 짚고, 대안에 대해서 병원 관계자들과 토론하는 방식으로 구성했다. 참여율은 평균 82%였고, 100% 참석한 분이 20%가 넘는 등 열기도 뜨거웠다.

임상과장과 보직자들이 격주로 만나게 되고, 병원의 문제를 놓고 진지하게 논의하는 과정을 거치면서 사이가 가까워졌다. 마무리 강의와 수료식을 1박 2일로 진행하였는데 많은 분들이 과정이 짧다고 아쉬워했다. 의료진 보직자의 아카데미가 성공적으로 끝나자 일반직 보직자들의 아카데미로 이어졌다.

대기업들이 외부 위탁교육은 물론 내부적으로도 아카데미를 운영하듯이, 병원에서도 단발성이 아닌 지속적인 교육을 시행해야 한다. 일년 내내 교육이 이루어져야 인재의 수준이 올라가고, 윙맨의 풀이 늘어나게 된다.

훌륭한 윙맨이 없다는 사실을 한탄할 게 아니라 지금이라도 인재육성과 시스템을 마련하는데 투자해야 한다. 지금 시작하면 2~3년 후에는 원맨쇼 경영에서 벗어나 진취적인 일을 할 수 있다. 늦었다고 생각할 때가 가장 빠르다.

전략에 적합한 조직으로 개편하고 적임자를 찾아야 한다. 부서장의 처우도 개선하고 경력 경로와 평가시스템 등 운영시스템을 구축하여 인재를 발굴하고 키워야 한다. 다만 모르는 일을 잘 아는 체하거나 아랫사람과 관계자들에게 말과 행동을 함부로 하는 사람은 핵심보직에서 배제해야 한다. 이들의 불량한 태도와 언행은 단기간에 개선되기 어렵고, 보직자의 팀워크는 물론 병원 분위기와 평판을 엉망으로 만들 것이기 때문이다.

그림 12. A대학의료원 아카데미의 프로그램

회차	과목명	주요 내용
1	[경영전략] 상상하는 만큼 이루어 진다	· 비전, 그 담대한 지향점 · 국내 선도병원 전략 사례 · 조직문화-긍정어, 관점 전환, 배움 독려
2	[인재육성] 잘 되는 팀은 무엇이 다를까?	· 탁월한 팀워크를 위해 리더가 갖춰야할 핵심역량 · 바람직한 제도 vs 지양해야 할 제도 · 조직문화를 선도하는 방법
3	[재무] 숫자를 아는 리더가 경영을 지배한다	· 현금주의 발생주의 · 재무제표의 계정과목은 4개밖에 없다 · 매몰비용의 오류와 비용유형
4	[브랜딩] 브랜딩으로 승부하라	· 대표 브랜드의 성공 요건 · 일반적인 병원 브랜드 관리의 문제점 · 선호 브랜드가 되기 위한 실질적인 방안
5	[프로세스 1] 부재경영을 실현하는 방법	· 부재경영과 그 중요성 · 시스템 진단 방법 · 프로세스 구축시 유의사항
	[프로세스 2] 의료품질과 수익성의 두 마리 토끼를 잡는 법	· 의료품질과 수익성의 상관관계 · 의료품질과 진료패턴 · 의료품질 개선시 변화관리 팁
6	[공간] 고객 중심의 병원 공간설계	· 경영자가 알아야 하는 병원 건축의 핵심 컨셉 · 공간 설계시 문제점과 고려사항 · 병원 공간설계 모범사례

회차	과목명	주요 내용
7	[고객관리 1] CRM은 왜 하는 것일까?	· CRM의 실전적 의미 · 고객만족 차원에서의 직종별 업무의 특성 · 필수 수행 과제
	[고객관리 2] 의료분쟁, 번지기 전에 잡아라	· 의료분쟁의 추세 및 특징 · 의료분쟁 조기 해결 팁 · 의료분쟁 예방 팁
8	[전문화] 의료품질이 최고의 브랜딩	· 병원 규모 및 유형별 전문화 전략 방법론 · 실제 사례1 · 실제 사례2
9	[성과관리] 성과를 보상하지 않는 것은 실패를 보상하는 것	· 일반적인 성과급 제도의 문제점 · 성과급 제도 설계시 5대 유의사항 · 실제 사례
10	[윙맨리더십] 미래를 위한 윙맨 리더십	· 민간 기업의 윙맨 리더십 · 병원에서의 윙맨 리더십 · 윙맨 리더십을 위한 준비
11	[비전전략 워크샵] 변화관리 특강 및 전략 분임토의 (1박 2일)	· 전략이 실행되지 못하는 이유 · 전략 실행력을 배가하는 실천방법 · 분임토의
12	[클로징] 병원경영전략 키워드	· 전 강좌 주요 내용 키워드 정리 · 수강자 피드백 공유 및 질의응답 · 수료식 및 상금 증정

11

간호사가
병원의 미래다

사람을 얻기도 어렵지만 인재를 얻는 것은 더더욱 어렵다. 하지만 등잔 밑이 어둡다는 속담처럼 생각을 조금만 바꾸면 주위에서 얼마든지 인재를 찾을 수 있다. 문제는 어떻게 인재를 찾아 잘 지도하고 활용하느냐 하는 데 있다. 잘 쓰면 모두가 인재요 내치면 모두가 쌀지게미다.

「 변경(邊境) 中 」

병원 인력의 절반인
간호부는 몸살 중

병원의 특성과 규모에 따라 다르지만, 간호사는 병원인력의 약 35%에서 60%를 차지한다. 수적으로도 많고 환자와의 최접점에 있어 환자만족도에 큰 영향을 미친다. 대학병원과는 달리 전공의가 없는 중소병원은 더욱 그러하다. 간호부장은 물론 병동 수간호사 한 명이 어떤 역할을 하느냐에 따라 병원과 병동의 분위기나 성과에서 많은 차이가 난다. 교육이 잘 된 간호사들은 부실한 진료시스템으로 인한 문제까지 커버하기도 한다. 간호사의 생산성을 높이면 환자만족도나 이익은 크게 향상될 수밖에 없다.

그런데 병원의 간호부는 심한 몸살을 앓는 중이다. 대학병원은 물론이고 중소병원에 근무하는 간호사의 이직률은 지금도 높은데, 더욱 높아지고 있다. 최근 3년간 실시한 설문을 보면 간호직의 이직 고려 비율은 평균 65%에 이른다. 이는 타 직종이 20% 내외인 것을 고려하면 심각한 수준이다. 실제 이직률도 높다. 이제는 간호사 수급 자체가 어렵다. 간호사의 역량을 따질 형편이 아니다. 간호간병통합서비스의 시행으로 간호사 부족현상이 더욱 심해졌다. 대형병원들의 증설, 분원의 신설 등으로 인해 간호사도 대형병원 쏠림현상이 더 심해질 것이다.

중소병원들은 심각한 간호사의 수급난에 처해있고, 간호사가 없어서 병동을 폐쇄하는 일이 그리 드물지 않은 일이 되었다. 신규간호사 뽑기가 하늘의 별따기이고, 신규채용해도 당장 도움이 되지도 않는다. 교육을 시켜놓으면 다른 병원으로 상당수가 이직한다. 중소병원의 이런 상황은 정책적인 영향이 가장 큰 원인이지만, 간호사에 대한 관리체계가 미흡한 것도 어려움을 가중시키는 요인이다.

그들을 비난해서는 답이 없다

다른 직종 종사자들은 종종 간호직을 비판하곤 한다. 주로 전문성과 태도에 관한 것들이다. "바늘 하나 제대로 못 꽂는 간호사가 많습니다, 역량이 부족하여 환자를 상대로 실습을 하는 지경입니다, 자기 병원을 험담하면 자기를 험담하는 것이라는 사실을 모릅니다, 환자가 급한데도 자기 일부터 하는 모습이 실망스럽습니다…”

간호 인력이 많다 보니 실망스러운 모습을 보이는 사람도 있지만 대단히 훌륭한 간호사도 많다. 이들은 누구보다도 진심으로 병원을 걱정하고, 환자들에게 더 잘해주지 못해 안달한다. 자신의 전문성을 위해서 꾸준히 공부하고, 후배들을 아끼고 교육한다. 오지랖이 넓어 다른 부서 일까지 간섭하다가 핀잔을 받기도 한다. 이런 간호사들은 주인의식과 열정을 갖추었기에 무엇을 해도 잘 할 수 있는 리더십을 가진 분들이다.

간호사는 환자와 의사 사이에서 많은 스트레스를 받고, 업무강도가 높은 직무도 많다. 간호직 전체의 이직률이 높은데 특히 입원병동, 응급실, 중환자실 등 3교대를 하는 부서의 이직률은 더 높다. 중소병원은 더욱 심각하다. 이들 부서의 간호사들은 인력이 더욱 부족하여 2교대로 근무하기도 하는데, 업무강도에 걸맞은 처우는 이루어지지 않는다. 결국 불만은 누적되고 이직으로 연결된다.

어려운 근무 여건에서 묵묵히 일했던 과거의 간호사를 예로 들며 젊은 간호사를 설득하는 것은 가능하지도 않을뿐더러 꼰대라는 소리만 듣게 된다. 최근 젊은 간호사들의 행동 패턴을 있는 그대로 받아들여야 한다. 간호사의 교육환경과 근무 여건을 고려하여 경영진과 간호사가 서로 이해의 폭을 넓히려는 노력을 해야 한다.

신규채용보다 이직방지가 우선이다

Case. 19

Q종합병원은 낮은 급여 수준과 열악한 시설 등으로 인해 의사와 간호사들이 이탈했다. 간호사를 모집해도 지원자가 없었다. 그러자 간호사들 사이에선 일단 나가서 퇴직금을 받고 다시 들어오자는 말이 나돌 지경이었다. 병원이 망하면 퇴직금도 못 받을 수 있다는 걱정도 있었고 긴급하게 뽑은 신입 간호사들과 기존 간호사 사이에 급여 역전현상이 발생했기 때문이다. 의사와 간호사들 모두 자주 바뀌어서 손발을 맞추기가 어려웠다. 의사는 간호사가 교육이 안 되었다고 비난했다. 간호사는 의사가 직접 해야 할 일을 자신들에게 미루고 그게 맘에 들지 않으면 핀잔을 준다는 불만을 토

로했다. 일반 간호사는 물론 중환자실과 병동에 근무하는 간호사들의 이직이 급격히 늘어나 간호사 부족으로 일부 병동을 폐쇄하기에 이르렀다.

근본 원인에 대한 처방이 없으면 기존 간호사들의 이직은 계속되고, 간호사 채용공고를 내어도 소용이 없다. 먼저 종합적인 대책을 만들어야 한다. 하나씩 해결하려고 하면 또 다른 문제가 생기는 풍선효과를 불러온다. 또한 병원 상황에 적합한 구체적인 해결방안이 마련되어야 한다. 간호사의 급여 격차, 업무부담, 교육체계와 일하는 방식, 근무시설, 기숙사와 같은 복지 등의 불만요소나 정도가 모두 다르기 때문이다.

Q병원은 먼저 간호부의 업무 고충을 수렴했다. "간호사화(샌들)가 불편하다, 가운이 너무 중구난방이다, 나이트 업무가 많아 채혈업무 지원이 있었으면 좋겠다, 수술실 이동 업무가 과다하다, 수술시작 시간을 물어보는 환자를 응대하기 힘들다…" 등 많은 과제가 도출되었다. 즉시 할 수 있는 것부터 시정했다. 크록스 운동화로 교체하고, 가운은 선호도 조사 후 변경했다. 병동 채혈팀을 보강하고, 수술실 전담 이송인력을 배치했다. 그리고 수술 순서 및 시간대를 정하여 상호 공유하게 했다.

주변 동급병원들의 급여 수준을 파악하고 격차를 해소할 금액을 산정했다. 그리고 그 격차를 합리적으로 조정하기 위해 급여 조정과 수당을 재정비했다. 이를 위해 간호부 전체를 대상으로 부서별 업무난이도와 업무강도에 대한 직무조사를 수행했다. 핸드폰을 활용한 모바일버전과 PC버전의 직무분석시스템을 활용했더니 불과 3일 만에 전체의 96%나 응답했다. 이를 통해 힘든 부서와 상대적으로 덜 힘든 부서의 차이를 객관화하였고, 간호사들이 스스로 응답하였기에 분석 결과에 대한 공감대 형성도 자연스럽게 이뤄졌다. 이를 기반으로 수당 등 처우 수준을 부서별로 차등화한 결과 불만과 이직이 현저히 줄게 되었다.

근무 여건을
패키지로 점검하라

신규채용 계획에 앞서 가장 먼저 기존 간호사의 근무조건과 처우부터 정비해야 한다. 그래야 직원과 가족에 대한 진료비 할인, 기숙사 등 크고 작은 혜택과 청년 직장인에 대한 정부나 지자체의 각종 지원 등 채용되면 받게 되는 모든 항목을 채용공고에 제시할 수 있다. 그런데 실제 간호사 채용공고들을 보면 병원의 장점이나 구직 간호사들이 궁금해하는 정보를 제공하지 못하는 경우가 많다.

Case. 20
R종합병원은 간호사 신규채용에 나섰지만 정원의 절반도 채우지 못했다. 이에 간호사의 전반적인 근무 여건과 처우를 검토했다.

직원과 가족을 위한 진료비 할인과 종합검진 제공, 학비 지원, 기숙사나 원룸 월세 지원, 식사 제공 등 기존의 수많은 혜택을 정리하고 타 병원과 차이가 나는 혜택을 추가했다. 이런 내용이 담긴 채용공고 포스터를 온-오프라인용으로 제작해 이해하기 쉽도록 했다. 채용 사이트에 게재하고 전국 간호대학에 모두 발송했다. 기존 간호사들도 원내에 부착된 포스터 등을 통해 자세한 혜택 내용을 알게 되면서 근무 만족도가 높아지고 후배들을 데려오기도 했다.

그 결과 간호사 입사경쟁률이 8:1에 이르렀고, 합격 대기자를 포함하여 두 배수를 뽑을 수 있었다. 채용도 잘 되었지만, 간호사들의 만족도도 높아져 환자들에 대한 서비스도 현저히 개선되었다. 채용은 직접 연관된 업무를 넘어 근로 여건과 관련된 전반적인 문제를 한꺼번에 개선해야 제대로 된 효과를 볼 수 있다.

인력 수급이 이루어지면 먼저 챙겨야 하는 것이 신입 간호사 교육이다. 인력이 부족하기 때문에 현장의 듀티를 메우기 급급하여 신입 간호사 교육프로그램이 있어도 소홀히 하거나 제대로 시행하지 않는 경우가 있다. 그러나 역량의 발전, 근무만족도 제고, 병원 충성도에 가장 효과적인 게 바로 신입 간호사 교육이다. 간호부는 교육체계를 정비하거나 외부 전문교육기관을 활용해서라도 신입교육을 충실히 해야 한다.

간호사의
잠재력을 극대화하라

간호업무를 들여다보면 개선의 여지가 많다. 전자카덱스 등 정보시스템이 미흡하여 간호사들이 전자의무기록(EMR) 외에 수기 대장들을 중복으로 작성하고 관리한다. 그런데 여기엔 세탁물 관리, 식판 수거 등 타 직종이나 부서에서 할 수 있는 업무들도 많다. 앞서 예를 든 것처럼 채혈이나 이송처럼 전담팀을 만들어 부담을 줄일 수 있는 업무도 있다. 정보화를 통해 의사와 함께하는 일의 부담을 줄이고, 타 부서와 업무분장을 할 수 있는 것은 조정해야 한다. 간호업무에 충실할 수 있는 여건을 마련하고 전문성을 높임으로써 경영의 효율성과 함께 환자의 만족도와 간호사의 직업적 자부심을 동시에 높일 수 있다.

저자는 오래전부터 간호부의 인력 비중이나 역할을 생각할 때 당연히 간호부의 권한과 책임을 높여야 한다고 권고해왔다. 많은 대학병원이 간호부의 장을 간호부장으로 유지하고 있지만, 간호부원장으로 승격시킨 지 오래된 대학병원도 적지 않다. 삼성서울병원, 서울아산병원은 간호부원장, 서울대학교병원은 간호본부장의 직제로 운영하고 있다. 미국은 상위 20위에 속한 병원의 병원장 중 비의사 출신은 35%에서 60%에 육박하기도 한다. 이 중에 간호사 출신도 1명에서 3명이 포함되어 있다. 능력 있는 간호사들이 병원경영에 참여하면서 병원장이 갖추어야 할 역량을 쌓은 결과이다.

간호사의 업무 특성을 고려하면 병원의 미래를 좌우하는 핵심 자산으로 간호사를 활용할 수도 있다. 간호사는 의료 관련 프로세스에 대한 이해도가 높고, 여러 직종이나 부서와의 협업 경험이 많다. 게다가 환자 접점에서 일했기에 현장 구석구석의 문제점을 잘 안다. 그러기에 우리나라의 선도대학병원에서도 기획실이나 대외협력, 구매, 홍보, 콜센터 등 다양한 분야에 간호사 출신을 배치하여 많은 성과를 내고 있다. 경영자가 직종과 관계없이 잠재력을 지닌 인재를 발굴하는 눈을 가져야만 병원의 밝은 미래를 열 수 있다.

그림 13. U.S. News Best Hospital 순위[2)]

Rank	Hospital Name	Rank	Hospital Name
1	Mayo Clinic	11	Michigan Hospitals-Michigan Medicine
2	Cleveland Clinic	12	Stanford Health Care-Stanford Hospital
3	UCLA Medical Center	13	Penn Presbyterian Medical Center
4	Johns Hopkins Hospital	14	Brigham and Women's Hospital
5	Massachusetts General Hospital	15	Mayo Clinic-Phoenix
6	Cedars-Sinai Medical Center	16	Houston Methodist Hospital
7	New York-Presbyterian Hospital	17	[공동] Barnes-Jewish Hospital
8	NYU Langone Hospitals	17	[공동] Mount Sinai Hospital
9	UCSF Medical Center	19	Rush University Medical Center
10	Northwestern Memorial Hospital	20	Vanderbilt University Medical Center

* 파란색 글씨는 병원장이 비의사출신인 병원

魏
蜀
吳

12

일류리더는
남의 지혜를 활용한다

환자의 가장 중요한 능력은 명의를 찾아가는 것이듯,
탁월한 전문기관을 알아보는 것은 경영자의 중요한 안목이다.

「 엘리오 」

경영도 치료보다 정기적인 예방이 더 효과적

한비자는 '삼류 리더는 자신의 능력을 쓰고 이류 리더는 타인의 힘을 빌리고, 일류 리더는 타인의 지혜를 활용한다'고 했다. 타인을 어떻게 활용하는지에 따라 리더의 등급이 달라진다는 것이다. 아무나 남의 힘, 남의 지혜를 빌릴 수 있는 게 아니다. 먼저 겸손해야 한다. 그리고 자신이 무엇을 해야 할지, 무엇을 모르는지, 어떤 도움이 필요한지를 알아야 한다. 어리석은 리더는 묻고자 하지도 않고, 또 누구에게 무엇을 어떻게 물어봐야 할지도 모르기 때문이다.

"저는 제 머리를 믿지 않습니다. 한 사람의 머리에 담을 수 있는 경험과 독서량은 한계가 있으니까요. 먼저 저는 그 분야 최고 전문가들을 찾아 최대한 많이 듣습니다. 제 생각을 정리한 후 가장 고수라고 생각하는 분과 다시 상의합니다. 결정은 그 후에 하지요. 제가 구축한 의사결정과정에서 도출해낸 결정을 믿을 뿐입니다." 업계에서 경험이 많을 뿐 아니라 지혜롭다고 정평이 난 어느 사장님이 들려준 말이다. 그는 한비자가 말한 일류 리더인 셈이다.

그런데 경영지식과 경험이 많지 않은 분들이 오히려 자신만만한 경향이 있다. 경영전문가에게 조언도 구하지 않는다. 자신의 생각을 확인하기 위해 주변 사람들에게 건성건성 물어볼 뿐이다. 어쩌다 경영전문가의 조언을 들어도 '지인 중 많은 사람들은 다르게 말했다'는 이유로 무시하기 일쑤다. 환자가 병원을 오래 다녀도 의사의 역할을 할 수 없는 것처럼 병원과 관련된 경험이 있어도 그것이 병원경영 전문가의 역할을 대체할 수 없다는 사실을 모르는 것이다.

경영자가 내리는 한 번의 의사결정이 병원을 살리기도 하고 치명적인 피해를 주기도 한다. A의료원은 망해가는 분원을 본원과 통합한 경영진의 의사결정으로 의료원을 살렸고, 막대한 비용이 들어간다는 이유로 대다수가 반대했던 부지매입 결정을 통해 병원의 미래를 밝혔다.

이에 반해 장기간 추진했던 전문병원을 준공 직전에 연구시설로 전환함으로써 병원의 도약을 좌절시키거나, 불요불급한 인원을 한꺼번에 정규직으로 채용해 병원경영에 큰 피해를 입힌 경영자의 의사결정도 있었다. 이 정도로 중요한 결정은 아니어도 경영자는 수시로 많은 의사결정을 하고, 그 결정은 경영성과로 나타난다. 경영을 의사결정의 예술, 선택의 예술이라고 말하는 것은 이런 이유에서다.

해묵은 과제들을 해결하려고 할 때, 내부의 시각과 역량으로 과거와 똑같이 시도하면 과거와 비슷한 시행착오를 반복할 가능성이 높다. 이럴 때 외부의 시각과 방법 그리고 역량을 활용할 필요가 있고, 그 대표적인 방법이 컨설팅 회사를 활용하는 것이다.

과거 의료계에서는 컨설팅에 대해선 적정 비용을 지불하려 하지 않았다. 눈에 보이고 손으로 만져지는 장비나 건축물에 대해선 막대한 비용을 지불할 수 있지만, 눈에 보이진 않으나 경영에 막대한 영향을 주는 컨설팅에는 굳이 돈을 들일 필요가 있느냐는 것이다.

정보화시스템이 도입될 당시 하드웨어를 구입하면 소프트웨어는 공짜로 끼워줘야 한다는 인식이 팽배했던 것과 비슷한 사고방식이다. '지식의 가치'를 홀대한 것이다. 정부가 특별진료비 폐지에 나서자 의료계는 경험이 많은 의사와 초보의사를 동일하게 취급하는 것이며 이는 지식의 가치를 인정하지 않은 것이라고 맹비난하기도 했다. 그러면서도 원서를 불법복제하거나, 먼저 개원한 선배에게 노하우를 배우면서 대가를 지불하지 않는 것을 당연히 여기는 경향도 의료계에 여전히 남아있었다.

그러나 이제는 소프트웨어의 가치가 하드웨어만큼 또는 그 이상으로 중요한 시대가 되었다. 의료계 역시 이런 사실을 누구보다 잘 알고 있다. 컨설팅에 대한 병원경영자들의 인식도 최근 10여 년 새 크게 달라졌다. 의사결정이 병원에 미치는 영향이 크고, 경영자가 잘 모르는 영역일수록 컨설팅을 받는 것을 당연하게 여기는 인식이 자리잡게 되었다. 수백억에서 수천억 원이 들어가는 신설 병원의 타당성 분석과 개원전략처럼 특정 문제에 구체적으로 직면하여 이에 대한 해법이 필요할 때는 더욱 그렇다.

하지만 아직도 병원의 경영상태를 주기적으로 점검하는 경영진단 컨설팅은 예산 낭비로 치부하곤 한다. 특별히 아프지 않아도 조기발견을 위해서 매년 또는 격년으로 건강검진을 받듯이, 병원의 문제를 조기에 발견하여 예방하거나 시행착오를 줄이고 병원의 체계적인 성장을 돕는 게 경영진단이다. 사람의 건강은 건강할 때 지키는 것이 현명하듯이, 병원의 건강도 마찬가지다. 2, 3년에 한 번 정도는 경영진단 컨설팅을 받아 계획과 성과를 객관적으로 평가하고, 전략을 재수립하는 것이 반드시 필요하다.

26년 전, 모 그룹이 발주한 경영 컨설팅 보고서를 본 적이 있다. 자그마치 16권에 이르는 분량이었다. '미래산업에 대한 전망과 대책'이라는 테마에 대해 세계 최고의 경제 연구소 3곳(일본 2, 미국 1)에서 동시에 컨설팅을 수행한 결과물이었다. 여러모로 놀랐다. 동일한 테마로 3곳에 맡긴 것도 대단했고, 그것도 최고 수준의 보수를 요구하는 글로벌 연구소였기 때문이다. 보고서의 내용은 더 놀라웠다. 지금 펼쳐지는 세상의 이야기가 그 당시 보고서에 이미 담겨있었다.

그 보고서 때문만은 아니겠지만 그 기업은 결국 글로벌 탑 클래스가 되었다. 보통의 기업이었다면 당면한 문제를 해결하는 것도 아닌데 그토록 많은 비용이 드는 컨설팅은 예산 낭비라고 여겼을 것이고 그래서 아예 컨설팅을 발주할 생각조차 하지 못했을 것이다.

컨설팅의 품질과 성과는 천양지차

병원의 경영자들은 컨설팅 회사면 대부분 비슷한 수준일 것이라고 생각한다. 하지만 컨설팅 회사에 따라 품질의 수준은 천양지차(天壤之差)이다. 이는 컨설팅 회사의 옥석을 가려내야 하는 고객 입장에서 보면 큰 위험요소이다. 일반적으로 제품의 품질 차이는 기껏해야 배 이상 나기 어렵지만, 컨설팅의 품질은 열배, 백배 이상의 차이가 날 수 있다. 컨설팅 회사가 어떤 품질의 컨설팅 결과를 내놓느냐에 따라 기업이 흥하기도 하고 극한 위험에 빠지기도 한다.

여기서 문제는 고객이 컨설팅의 품질과 성과를 스스로 알아내기가 매우 어렵다는 점이다. 고객이 특정 회사의 컨설팅을 받은 후 같은 과제를 다른 회사에 중복해서 맡기지 않기 때문에 비교를 통한 품질평가가 불가능하다. 설혹 다른 회사에 같은 과제의 컨설팅을 다시 맡긴다고 해도 이미 회사 안팎의 상황이나 경영 여건 등이 달라져서 이 역시 컨설팅 품질을 비교하기 어려운 건 마찬가지다. 그래서 컨설팅을 해서 10이라는 성과가 나오면 '컨설팅을 하면 대개 이런 결과로 이어지는군'이라며 10이라는 결과를 일반화해서 받아들일 뿐, 탁월한 회사에 컨설팅을 맡겼다면 100이나 1,000의 성과가 나올 수 있는 사실은 놓치고 지나가는 것이다.

이런 이유로, 컨설팅이 종료된 병원이나 회사에서는 컨설팅 회사가 병원에 협조적이었는지, 무난하게 일을 마쳤는지 등 '인상 비평'에 그치는 경우가 많다. 하지만 컨설팅 성과에 대한 질적, 객관적인 평가가 불가능한 것은 아니다. 아래 사례를 통해 컨설팅 회사가 어떤 역할을 수행해야 하고, 성공적인 컨설팅은 어떤 요인을 갖추고 있는지 등에 대해 살펴보자.

첫째, 발상의 전환을 통해 창의적인 대안을 제시한다. 구성원은 같은 환경에 속해 있으니 사안을 바라보는 눈이 비슷하고, 필요하다고 생각하는 대안도 크게 변별력을 가지기 어렵다. 익숙한 눈이 아니라 새로운 눈, 많은 경험과 통찰력을 가진 눈으로 봐야 발상의 전환을 할 수 있다. 그래야 숨겨진 문제와 원인을 볼 수 있고 창의적인 대안을 제시할 수 있다. 구체적인 사례를 들면, '지방에서는 암 치료를 특화하기 어렵다'는 고정관념을 '경쟁자가 없는 지방에서 특화를 더 잘 할 수 있다'고 뒤집어 제안한 것이다. 이런 발상을 처음 말했을 때는 '황당하다, 불가능하다, 현실을 모른다'는 등의 비난을 받았다. 그런데 결국은 이 전략을 실행에 옮긴 병원은 암 치료에서 지역 내 대표적인 위상을 가진 병원이 되었다.

'콜럼버스의 달걀'은 실행해놓고 보면 쉽게 할 수 있다는 것을 알게 되지만, 달걀을 깨뜨려 세운다는 발상은 결코 아무나 하지 못한다. 컨설팅 회사는 성장이 정체되거나 회생의 탈출구를 찾으려는 고객에게 창의적인 경영 전략, 파격적이나 실행가능한 창조적인 대안을 내놓을 수 있어야 한다.

둘째는 전략을 실행하는 속도와 완성도를 높인다. 경영진이 결단을 망설이거나 구성원의 반발이나 실행노하우의 부족으로 실행이 늦어지는 경우가 적지 않다. B대학병원은 경영진단을 받은 결과 인근지역에 타 대학병원의 분원이 들어설 것에 대비하고 중증도를 높이기 위해 대규모 증축을 신속히 추진해야 한다는 권고를 받았다. 하지만 막대한 비용이 들어가는 데다 국립대병원이었기에 거쳐야 할 절차가 많고 까다로워 추진이 지연되고 있었다. 이때 컨설팅 회사와 협력하여 7년 넘게 걸릴 것으로 봤던 대규모 전문병원 개원을 4년으로

당겼다. 그렇지 않았다면 공사비는 급증했을 것이고, 경쟁병원이 더 빨리 개원하여 B병원으로선 증축 규모를 축소하거나 증축을 포기해야 하는 상황이 초래되었을 것이다.

대부분의 병원이 성과급을 운영하고 있지만, 제대로 작동하는 경우가 드물다. 병원이 추구하는 전략이나 진료과별 특성, 조직문화 등을 고려하지 않고 성과급을 일률적으로 설계한 탓일 가능성이 높다. 그 병원의 주요 요인들을 두루 반영해서 정교하게 성과급을 설계하고, 공감대를 형성함으로써 실행의 완성도를 높이는 것이 컨설팅 회사가 할 일이다. 제대로 된 성과급은 진료프로세스 상의 고질적인 문제를 해소하고 의료진 사이의 협조와 상호 지원을 향상시키는 효과가 있다. 성과급 도입 또는 개선을 통해 이전보다 진료이익이 배 이상 늘어난 병원들이 적지 않다.

셋째, 이해관계를 능숙하고 무리 없이 조정하여 문제를 해결한다. 집안이 편안하지 못하면 되는 일도 꼬이는 경우가 많다. 조직도 마찬가지다. 병원 내부의 갈등을 제대로 해소하지 않으면 경영에 발목을 잡히는 경우가 허다하다. 이런 문제는 내부의 역량만으로 풀기 어려울 때가 많다. 차세대

승계 문제 등에서 각자의 이해관계가 달라 오랫동안 반목하던 C병원의 여러 창립자들을 합의하게 만들어 차세대가 역동적으로 경영할 수 있게 한 사례가 있었다.

중증질환 전문화와 공간의 쾌적성 확보를 위해 대규모 증축이 꼭 필요했으나 재단이 브레이크를 걸어 진퇴양난의 상황에 처한 어느 대학병원도 있었다. 이때 외부의 전문 컨설팅 회사가 논리적인 설득 끝에 결국 재단의 승인을 얻어냈다. 이후 대규모의 암병원을 건축하고 본원과의 공간 재배치가 이루어졌고, 이는 중증도와 진료수익을 크게 끌어올렸다. 전문가의 도움으로 재단과의 내부 갈등을 조기에 해소하지 않았더라면 수익 정체, 환자들의 불만 증가, 인근 대학병원과의 경쟁력 격차 심화 같은 정반대 상황이 빚어졌을 것이다.

넷째는 병원장을 비롯한 보직자와 기획 관련 인력들에게 경영노하우를 전수한다. 경영자와 주요 보직자가 자신이 근무하는 병원을 경영진단하고 전략을 수립하는 과정에 충실히 참여하는 것이 가장 훌륭한 경영교육과정이다. 모 의료원에서는 본원이 경영진단 컨설팅을 받은 뒤 본원의 기획인력들이 분원의 경영진단을 수행하였다. 컨설팅에 참여한 직원들이 컨설턴트들의 일하는 방식과 경영진단의 노하우를 전수 받았기 때문이다. 이후 의료원의 일하는 방식이 바뀌었고, 기획과 전략을 담당하는 인력들의 역량이 상당히 높아졌다.

위에서 든 실제 사례는 품질이 뛰어난 컨설팅이 얼마나 큰 가치를 지니는지 생생하게 알려준다. 우선 진료·수술 등을 통해 얻을 수 있는 수익증가나 원가절감보다 경영혁신 컨설팅을 통해 이보다 더 큰 재무적 성과를, 더 수월하게 달성할 수 있다는 점이다. 예를 들어, 잘 설계한 성과급만 운영했는데도 연 250억 원에 가까운 이익을 증가시킨 병원이 있다. 대부분 병원의 이익률이 5% 미만이다. 이를 고려하면 250억 원의 이익은 진료를 통해 연 5,000억 원의 수익을 추가로 증가시켜야 가능한 것이다. 전략적 구매나 진료패턴의 개선을 통해서도 일반적으로 3~5%의 이익률을 개선할 수 있다. 즉, 연 진료수익이 1,000억 원인 병원에서 매년 30억 내지 50억 원의 추가 이익을 낼 수 있음을 의미한다.

이 책 '1. 변화는 비전의 공감에서 시작된다'에서 사례를 들어 소개하였듯이, 새로운 병원 부지를 확보하는 대신 기존 부지의 용적률을 끌어올리는 발상의 전환만으로 거둔 이익

창출 효과가 최소 6,000억 원이고, 병원부지의 개발방식을 바꾼 효과가 2,000억 원을 넘는다. 단 한 번의 프로젝트가 창출하는 금전적 효과가 이렇게 크다는 것이 선뜻 실감되지 않을 것이다. 하지만 이렇듯 불가능해 보이는 일까지 실제 성과로 만들어내는 것이 품질 좋은 컨설팅이 가진 힘이다.

그러나 수익증가나 원가절감이라는 재무적 잣대로만 컨설팅의 가치를 평가하는 것은 컨설팅의 본질을 제대로 이해했다고 볼 수 없다. '경영의 눈'을 확장시켜 이보다 더 다양한 잣대를 동원해야 비로소 컨설팅의 진정한 역할과 가치에 접근할 수 있다. 병원의 비전과 발전전략의 수립, 부지 확보, 전문화, 분원 개원, 신사업 진출, 브랜딩과 같은 중장기적 발전의 토대 마련, 경영시스템의 선진화, 전문 컨설턴트가 전수한 지식과 노하우의 습득, 조직분위기의 개선 등이 그것이다. 하지만 임기가 짧은 대학병원의 경영자는 물론 중소병원의 경영자들도 단기적인 성과에 집중할 뿐, 돈으로 환산하기 어려운 이 같은 경영적 가치에 대해선 상대적으로 관심이 적은 게 현실이다.

검증되고, 준비된
경영의 파트너를 찾아야

컨설팅 결과가 병원에 막대한 영향을 주기 때문에 최적의 컨설팅 회사를 선정하는 것은 경영자의 역량이자 매우 중요한 업무이다. 컨설팅의 성과는 컨설팅 회사의 선정이 성공의 절반을 좌우한다고 해도 과언이 아니다. 그럼에도 선정과정에 들이는 노력은 소홀히 하는 경우가 많다. 병원장이 지인의 소개를 받거나 혹은 지인이 임원으로 있는 컨설팅 회사를 선택하는 경우가 적지 않다.

프로젝트 제안 발표일이 닥쳐서야 컨설팅 회사의 옥석을 가리겠다면 늦어도 한참 늦었다. 제안 발표 때 회사나 컨설턴트에 대한 소개시간이 5분도 채 주어지지 않는데, 그런 수준의 정보를 통해 적합한 컨설팅 회사를 골라내기란 불가능하기 때문이다. 병원의 경영자는 컨설팅 업계의 사정이나 탁월한 컨설팅 회사를 평소에 파악하고 있어야 하지만, 대부분 그러지 못하는 게 현실이다. 대학병원장을 비롯해 기획실장, 기획팀장 등 보직자가 자주 바뀌는 바람에 일반적으로 3년에 한 번 정도 하는 컨설팅을 한 번이라도 경험한 병원 구성원이 드물기 때문이다. 그래서인지 컨설팅 회사를 선정할 때 제품을 구매하는 것과 비슷한 절차를 밟기도 한다. 예산을 정하고 공개경쟁입찰을 하여 제안서를 받고 심사위원들이 평가하는 식이다. 그러나 얼핏 공정해 보이는 이런 과정이 최적의 컨설팅 회사를 선정하는 데 오히려 걸림돌이 되는 경우가 많다.

예를 들면 평가방식에서 가격점수의 비중(20%)이 높아 품질 면에서 좋은 평가를 받은 회사가 가격점수 때문에 총점에서 역전되어, 품질평가에서 낮은 점수를 받은 회사가 선정되기도 한다. 예산을 아끼려면 애초부터 입찰할 때 공개하는 예산을 낮추면 되는데 그렇게 하지 않아 결국 꼬리가 몸통을 흔드는 결과를 초래하는 것이다. 또 컨설팅 역량과 관계없는 회사 신용도나 컨설팅 회사가 보유한 박사 소지자 등을 계량화한 것을 평가점수에 반영하여 평가를 왜곡시키기도 하고, 평가에서 가장 중요한 심사위원 중에 컨설팅 업무에 대한 이해가 없는 사람들을 앉히는 경우도 적지 않다.

컨설팅 회사의 진면목을 볼 수 있는 눈도 길러야 한다. 고객에게 의뢰받은 프로젝트를 착수한 이후에야 비로소 의료에 대해 연구하고 이해하려는 컨설팅 회사라면 그 프로젝트는 이미 실패한 것이나 마찬가지다. 의뢰인을 인터뷰하거나 설문한 결과 등을 뼈대로 삼아 프로젝트 결과물을 산출한다면 그 역시 수준 이하가 될 수밖에 없다. 고객의 기대에 부응하거나 기대치를 뛰어넘는 성과를 내기 위해서는 프로젝트에 착수하기 전부터 병원경영에 대한 지식과 정보 그리고 실행의 노하우에 있어 의뢰인보다 월등한 수준에 있어야 한다.

의료에 특화하여 상당한 전문성을 축적한 컨설팅 회사가 그런 일을 할 수 있다. 최소한 10년 이상 병원이나 의료관련 프로젝트를 매년 일정 건수 이상 꾸준히 수행해야 한다. 그 경험을 바탕으로 전문성 있는 컨설턴트를 육성하고 의료와 병원경영에 대해 컨설팅 회사차원의 체계적인 지식과 정보를 축적할 수 있고, 적합한 데이터베이스나 정보시스템을 개발하여 운영할 수 있기 때문이다.

거의 모든 산업을 두루 커버해야 하는 대부분의 컨설팅 회사에는 병원과 의료산업에 경험이 많은 컨설턴트들이 있을 수가 없다. 병원 프로젝트를 반복해서 수행하지 못하므로 의료경영 전문 컨설턴트를 육성할 방법이 없고, 일 년에 몇 번 할지도 모르는 의료분야를 위해 전문 컨설턴트를 육성할 필요도 느끼지 못하기 때문이다. 그러니 의료 관련 프로젝트를 수임하면 의료에 문외한 컨설턴트나 외부에서 일시적으로 고용한 프리랜서를 투입하기도 한다.

하지만 의료의 경험이 거의 없는 컨설턴트들이 내놓는 대안은 병원의 내부의견을 정리한 수준을 넘어서기 어렵다. 이렇게 되면 병원 내부에서는 컨설턴트의 전문성을 의심하게 되고, 컨설팅 회사의 대안에 대해서도 신뢰하지 못하게 된다. 병원으로선 돈과 시간 낭비가 아닐 수 없다. 이는 사실상 무면허 의사에게 자신의 생명을 맡기거나, 외과 이외의 다른 분야의 의사에게 위암수술을 맡기는 우(愚)를 범하는 것과 다를 게 없다. 의사도 자신이 전공하지 않은 질환은 고치기 어려운 것처럼 컨설턴트 역시 자신의 특화된 분야가 아니면 좋은 성과를 거두기 어려운 것이다.

환자를 정확하게 진단하고 제대로 치료하기 위해선 다양한 임상통계와 MRI, CT, Angio, 로봇과 같은 첨단장비가 필수적이거나 매우 유용하다. 마찬가지로 고객이 가진 자료에만 의존하거나 감에 의존하지 않고 객관적인 경영진단을 하려면 데이터베이스와 이의 활용을 극대화할 수 있는 정보시스템을 갖추어야 한다. 데이터베이스는 전국 병원의 경영실적이나 진료실적, 질환별 데이터, 인사와 급여, 원가정보, 설문정보 등이 체계적으로 축적되어 유사병원이나 선도병원과 비교할 수 있는 수준이어야 한다. 정보시스템은 이들을 활용하여 실적을 분석하고, 시뮬레이션하는 등 대안 창출과 실행을 충분히 지원할 수 있어야 한다. 그러나 병원과 의료산업에 대한 프로젝트를 어쩌다 한 번씩 하게 되는 대부분의 컨설팅 회사는 깊이 있고 정교한 분석을 할 수 있는 수준은커녕 기본적인 데이터베이스와 정보시스템조차 갖출 엄두도 내지 못한다.

그런데 병원이 컨설팅 회사의 내부사정을 파악해 실력을 가늠해 옥석을 가려내기란 쉽지 않다. 이럴 땐 선진국의 기업들이 컨설팅 회사를 평가하는 방법을 준용해 볼 수 있다. 그들은 컨설팅 회사에 대한 신뢰도 평가에서 '특정 산업에서 동일 고객으로부터 연이어 수행한 프로젝트의 횟수'를 가장 중요한 지표로 삼는다. 적지 않은 비용이 들어가는 프로젝트의 성과가 좋지 않으면 기업들이 동일한 컨설팅 회사에 연이어 프로젝트를 맡길 리 없기 때문이다. 즉, 그들은 연이은 프로젝트의 횟수가 많다면 프로젝트마다 고객이 만족하는 성과가 있었다는 것을 증명한 것으로 판단한다.

컨설팅의 성공률 높이기

신임 경영진이 자체적인 혁신을 위해서 부서별 문제점을 파악하거나 평가를 하는 등 자신의 업무를 낱낱이 들여다보는 걸 반기는 구성원은 거의 없다. 마찬가지로 외부 전문가가 병원의 내밀한 문제까지 들여다보는 컨설팅을 편하게 여기는 병원 조직이나 구성원은 드물다.

실무자들은 자신의 업무를 감사받는 느낌을 갖거나, 자신들을 압박하는 시스템을 구축할 것이라고 우려하기도 한다. 혁신을 좋아하는 구성원은 거의 없기에 이를 추진하려는 컨설팅 회사에 대한 반감이 있을 수 있다.

그래서 이들은 컨설팅에 착수해도 협조를 하지 않거나 컨설팅 회사가 소신껏 일할 수 없는 여건을 고의적으로 조성하기도 한다. 이런 이유 외에도 성공적인 컨설팅을 방해하는 요인들이 또 있다. 특히 저자의 경험에 비추면 대부분의 컨설팅에서 의뢰기관의 호평을 받았음에도 끝내 실행이 되지 못한 사례가 가끔 있었다. 복기해보면 크게 두 가지의 경우로 나눌 수 있다.

하나는 컨설팅 후 병원장의 임기가 얼마 남지 않아 레임덕이 오거나 갑자기 경영진이 교체되는 경우다. 성공하지 못하는 프로젝트는 대부분 이런 경우에 해당한다. 컨설팅 후 이미 진행되고 있는 사업들을 후임 병원장이 부정하기도 한다. 현 병원장이 업적을 세우면 자기에게 병원장이 될 기회가 오지 않을 수 있다고 여긴 병원장 후보군이나, 현 병원장을 자신의 경쟁자라고 생각하는 이사장이 현 병원장의 연임을 막기 위해 병원장과 컨설팅 회사를 함께 묶어 음해하는 경우도 있다.

그렇기에 병원장이 되면 혁신적인 일은 가급적 빨리 시작해야 한다. 임기가 얼마 남지 않았을 때는 기간 내에 마무리를 지을 수 있거나 병원장의 관여범위가 넓지 않아 저항이 적은 업무에 집중해야 한다.

또 하나는 경영자가 구성원들의 눈치를 보면서 양비론을 말하거나 내부 분란을 묵인하는 경우다. 심지어 저항하는 사람들의 편에 서는 경우도 없지 않다. 이렇게 하면 반대세력의 악의적인 공격에 효과적으로 대처할 수 없게 된다. 어떤 전략과제든 구성원 모두를 만족시킬 순 없다. 불가피하게 어느 한쪽의 양보를 얻어내거나 희생을 요구해야 할 때가 있다. 조직이 혁신되어 이득을 보는 사람들은 적극적인 응원군을 자처하지 않는다. 반면 일시적이라도 손해를 보는 사람들은 강력한 저항군이 된다. 그들은 혁신을 좌절시켜야 기득권을 지킬 수 있기에 경영진과 다수의 구성원이 지지하는 새로운 제도에 흠집을 내려하고 컨설팅 회사를 공격하기도 한다.

컨설팅을 통해 경영성과를 거두고, 상당수의 구성원들에게 이런 성과가 전파됐음에도 악의적으로 성과를 폄훼하는 사례도 있다. '병원의 이름만 바꾸어줘도 성공이다', '스타벅스만 입주시켜주면 (컨설팅 회사의) 동상을 세워주겠다', '통합에 성공하면 동네방네 선전하고 다니겠다', '그 분야의 전문병원이 되면 손에 장을 지진다' 등 미사여구를 쏟아내던 사람들이 막상 컨설팅이 성공하면 그때는 '당연한 결과'라는 식으로 태도를 바꾸는 것이다.

이런 사람들은 열 가지를 제안하여 대부분 획기적인 성과를 내도 이는 당연시하고, 실행하지 못한 한두 가지를 탓하는 게 특징이다. 전략이 실행되지 못한 원인도 모르면서 일단 비난부터 앞세우곤 한다. 병원의 존립이 위태로웠던 상황을 고통분담을 통해 타개하고 회생에 성공했지만 '너무 힘든 상황을 강요받았다'며 경영진과 컨설팅 회사를 공격하는 황당하고 악의적인 허위사실을 퍼트리기도 한다. 죽어가는 사람을 수술해서 살려놓으니까 '너무 아팠다'거나 '수술 상처가 크다'며 의사를 탓하는 것과 같다.

컨설팅 회사의 아이러니가 있다. 획기적인 성과를 내기 위해 면밀하게 설계한 전략과제를 많이 제시하고 그 전략이 독창적일수록 '과제가 많아 실행하기 어렵다'거나 '비현실적'이라는 비난을 듣기 십상이다. 이와 반대로 제안된 전략이 평범하고 전략과제의 수가 적을수록 성공해도 성과는 높지 않다. 하지만 이럴 경우 고객은 실행하기 용이하기 때문에 컨설팅 회사는 비난을 들을 가능성이 낮아진다.

그러나 대부분의 구성원들은 경영과 컨설팅에 대한 이해가 부족하고 병원 차원보다는 자기나 자신의 부서 입장에서 생각하기 마련이다. 또 컨설팅 업무에 깊숙이 참여하지 않았으니 진행과정이나 성과에 대해 잘 모를 수도 있고, 모르는 게 당연할 수도 있다. 그 결과 경영진이나 컨설팅 회사의 노력과 성과를 자신의 입장에서 피상적인 평가를 할 수 있다.

병원장이 성과를 내려면 비난을 각오해야 하듯이, 컨설팅 회사도 때로는 황당한 음해와 억울한 평가를 기꺼이 짊어져야 한다. 그것은 경영진과 의기투합하여 죽어가는 병원을 살리거나, 환자들에 대한 서비스와 병원의 경영시스템을 개선시키거나, 병원 구성원들에게 활력을 불러일으키는 컨설팅의 보람과 성취감의 대가이다. 다만, 컨설턴트는 변화에 따른 고통과 구성원의 애로를 최대한 줄이는 지혜로운 대처법을 강구하고, 경영진은 물론 구성원과 효과적으로 소통하고 공감대를 만들기 위해 노력해야 한다.

컨설팅은 '양자의 협력' 게임이다. 컨설팅 회사가 훌륭한 대안을 제시하는 것만으론 부족하다. 일부 구성원과의 마찰이 불가피한 과제를 추진할 때는 구성원들을 설득하고 그 과정에서 비판의 화살을 맞기도 한다. 이때 경영진은 자신들이 받아야 할 비난을 컨설팅 회사가 대신해서 맞는다는 것을 이해해야 한다. 경영진이 컨설턴트의 입장을 이해하고 그들을 보호하는 것은 컨설팅 회사를 위한 것이 아니라 병원의 성과를 높이기 위해서다. 그래서 경영 경험이 많고 판단력이 뛰어난 경영자는 컨설턴트와 긴밀히 협력하여 구성원을 설득하는 과정을 함께 밟아 결국은 성과를 낸다.

새로운 길

윤동주

내를 건너서 숲으로
고개를 넘어서 마을로

어제도 가고 오늘도 갈
나의 길 새로운 길

민들레가 피고 까치가 날고
아가씨가 지나고 바람이 일고

나의 길은 언제나 새로운 길
오늘도… 내일도…

내를 건너서 숲으로
고개를 넘어서 마을로

Elio Way

미션과 唯一無二한 회사

1부

미션의 힘

당신은 당신이 생각하는 대로 살아야 한다.
그러지 않으면 머지않아 당신은 사는 대로 생각하게 될 것이다.

「 폴 부르제, 소설가 」

미션이
유일무이한 회사를 만드는 힘

요즘은 기업가 정신이나 직업의식이라는 말은 흘러간 옛 노래가 된 느낌이다. 회사 경영자든 일반 직원이든 이익과 보수 즉 돈에 매몰되는 경향이 뚜렷하다. 돈벌이의 가치를 폄훼하려는 것이 아니다. 돈보다 더 본질적인 가치를 놓쳐선 안 된다는 것이다. 기업과 직업이라는 말에 모두 포함된 업이라는 단어에 유념할 필요가 있다. 업(業)은 자신도 어쩔 수 없이 해야만 하는 무엇이고, 영어로는 미션(Mission)과 의미가 상통한다고 본다. 좀 더 속된 말로는 팔자(八字)라고도 할 수 있겠다.

창업자의 업을 기획하고 그것을 실현할 수 있도록 조직화하는 곳이 기업이다. 이익만을 위해서 활동하는 기업과 미션을 위해서 활동하는 기업은 품격이 다르다. 먹고 살기 위해 직업을 가지는 사람과, 자신의 존재 이유를 찾기 위해 직업을 가지는 사람이 직업을 대하는 자세와 성취에서 큰 차이를 보이는 것과 같다.

서울대학교병원과 세브란스병원은 해방 후 열악한 의료환경에서 전국의 의대교수나 의학자 배출에 막중한 역할을 수행했다. 서울아산병원과 삼성서울병원은 의료계에 '전략의 효력'을 각인시키며 의료문화를 선도했다. 어느 시절이든 사회가 필요로 하는 역할을 하는 조직들이 유일무이한 존재(Unique Organization)로서 자리매김하였고, 사회적 존경을 받았다. 그러나 그런 조직도 조직의 존재 가치, 존재 이유에 대한 지속적인 탐색을 소홀히 할 때 평범한 조직(One of them)이 되거나 전통에만 기대어 사는 퇴보적인 문화를 가진 조직으로 전락하고 만다.

그래서 누구라도, 어떤 조직이라도 자신만이 할 수 있는 의미있는 존재 이유(Mission)를 찾고 이를 실현해내어야 한다. 그러면 다른 조직과 경쟁하지 않아도 되는 유일무이하며 사회에서 존경받는 조직이 될 수 있다. 이런 관점을 가지고 엘리오라는 회사를 성장시켜 온 지난 20년을 에피소드 형식으로 풀어보았다. 독자들이 새로운 가치를 발견하거나 힌트를 얻고, 조직을 진화시키는 데 작은 도움이 되었으면 한다. 또한 평소 자주 접하지 못하는 컨설팅에 대한 이해의 폭이 넓어지길 바란다.

공인회계사를
그만둔 이유

회계법인에 다닐 때였다. 회계감사 후 감사보고서가 나가는 날이면 회사의 회계팀과 담당 회계사들은 으레 한잔 기울인다. 어느 날 술자리가 거듭 이어지면서 A사의 재무담당이사가 속마음을 여과 없이 내비쳤다.

'당신이 첫날부터 적발한 내용 때문에 내가 얼마나 고생했는지 상상이나 하느냐', '두 번 다시 당신을 안 봤으면 좋겠다'는 말을 녹음테이프가 돌아가듯이 반복했다. 당시 왕회장에게 미리 보고된 이익규모를 첫날부터 변동시켜야 할 상황에 맞닥뜨리자 임원들이 노심초사했다고 한다. 왕회장에게 보고된 이익규모가 바뀌면 담당 임원들이 옷을 벗어야 한다는 것이다. 술이 번쩍 깼다. 화장실 간다며 빠져나와 집으로 가는 택시 안에서 만감이 교차했다.

내 임무에 충실했을 뿐인데 의뢰 받은 회사 회계팀으로부터는 미움을 받고, 회계법인 내부로부터는 '고집이 세다'는 질책을 들어야 한다면, 애당초 분식회계 적발을 위해서 회계사가 들이는 시간과 노력은 무슨 의미가 있는지 고민이 들기 시작했다.

이런 회의감이 밀려오는 일은 계속 일어났다. 회사의 유혹과 비난, 법인 내부의 책망하는 목소리에도 굴하지 않고 B사에 소신 있는 감사의견을 냈다. 다음 해에 감사를 나갔더니 사장이 저자를 기다리고 있었다. 그는 작년의 감사보고서를 본 거래은행 담당자가 '어디서 이런 나쁜 회계사를 만나서 안 좋은 의견을 받았느냐'며 이자율을 올릴 수밖에 없다고 하더라는 말을 꺼냈다. '잘 봐달라'는 이야기였지만 저자의 회의감은 더 짙어졌다. 투자자나 금융기관을 위해 비난을 감수하며 원칙에 따른 감사의견을 고수했는데, 돌아온 것은 나쁜 회계사라는 비난과 이자율이 올라가서 회사가 망할 뻔했다는 원망뿐이었다.

그 비슷한 고민이 이어지던 와중에 C회사의 컨설팅을 맡게 되었다. 보통 회계사는 감사시즌에는 기업의 감사를 맡고, 감사시즌이 끝나면 컨설팅에 투입된다. 국회의원이었던 이 회사 회장은 상당기간 처남을 믿고 회사를 맡겼더니 자회사를 만들어 자기사업을 했다고 한다. 자회사는 모회사의 신용으로 막대한 자금을 끌어다 쓴 후 부도에 직면하게 되었다. 자회사가 부도나면 연대보증을 쓴 모회사도 부도날 상황이었다. 이를 해결하는 게 우리의 숙제였다.

컨설팅 기간 동안 회장은 컨설팅 업무를 방해하지 않으려고 사무실 밖에서 기다리다 저녁을 같이하거나 맥주를 사곤 했다. 컨설팅 진행상황을 듣기도 하고, 하소연도 하고 싶어서다. 연로하신 회장은 때로는 저녁을 먹으면서, 때로는 자신의 승용차 옆자리에 저자를 앉힌 채 '박 회계사님, 우리 회사 좀 꼭 살려 주세요'하며 두 손을 꼭 잡곤 했다. 세상물정을 한창 배워가던 20대 말의 회계사는 솔직히 그때마다 '내가 아는 게 별로 없는데…'라는 생각에 너무나 큰 부담을 느꼈다. 당장이라도 다시 사무실로 들어가 생존 방안을 더 열심히 파고들어야 할 것만 같았다.

회사의 절박한 상황만큼 저자도 그 회사를 살려야겠다는 일념으로 죽어라고 일했다. 저자의 기여는 미미했지만, 다행히 문제가 잘 해결되어 회사는 살게 되었고 저자는 형언하기 어려울 정도의 큰 기쁨과 보람을 느꼈다.

지금은 회계감사환경이 많이 달라졌을 것이나 당시에는 제대로 된 회계감사를 수행하기 어려운 환경이었다. 내가 감사업무를 열심히 할수록 고객들이 힘들어하는 것도, 법인 내부의 압박을 견뎌야 하는 것도 괴로웠다. 뭔가를 적발해내야 하는 회계감사와 달리 컨설팅은 기본적으로 그 회사가 잘 되는 방안을 찾는 창의적이고 긍정적인 작업이라는 생각이 나를 끌어당겼다. 이 일을 계기로 공인회계사 일을 접고 외국계 컨설팅 회사로 이직을 결심했다.

당신이 왜
우리를 자문할 수 있습니까?

컨설팅하는 일에 재미를 붙여 한창 신이 나 있을 무렵에 만난 삼성그룹의 K상무가 예상치 못한 질문을 던졌다. "나는 이 업종에서 30년을 일했고, 국내 최고의 대학과 미국의 명문대학을 졸업했다. 경영에 관한 책을 두 권 썼고, 인사평가 때마다 S등급만 받았다. 경영서적이 나오면 가장 먼저 읽고 지금 담당하고 있는 신사업을 누구보다 더 많이 고민했다. 그런데도 당신이 나에게 자문해줄 수 있는 이유를 설명해

달라." 말 한마디 한마디에 까칠함이 뚝뚝 묻어났다. 자신이 제일 잘 안다고 자부했는데, 부회장 지시로 컨설팅을 받아야 하는 상황이 오자 마뜩잖은 심정을 내비친 것이다.

K상무의 질문에 당황하지 않을 수 없었다. 날카로운 창이 쑥 들어온 느낌이었다. 당시만 해도 외국계 컨설팅 회사는 꽤 권위가 있고 인기를 누리던 시절이었다. 하지만 그는 이미 컨설팅 회사의 생리나 수준을 너무나 잘 알고 있었다. 내심 허둥대던 저자는 밋밋한 답변을 할 수밖에 없었다. '회사와 이해관계가 없는 제3자가 회사를 더 객관적으로 볼 수 있다', '우리 컨설팅 회사는 선진적인 방법론, 프레임워크를 활용한다' 등등.

특히 이 중에서도 객관적 관점을 강조했다. 경영현장에 있는 분들은 사업의 진행상황을 포장하거나 전략적 오류를 애써 외면하여 문제를 키우기도 한다. 전문경영인은 빨리 성과를 내고 싶은 단기 업적주의에 집착하기도 하며, 사업본부장은 자신의 사업을 유지한다는 전제하에서 경영상황을 판단하고 변수를 받아들이기 때문에 시야가 좁아지는 문제가 있다.

그런데 컨설턴트는 현업이 가진 각자의 입장이나 이해관계를 벗어날 수 있어 기존의 다른 판단과 대안을 제시할 수 있다. 사업의 진행상황을 점검하여 전략적 오류를 발견할 수 있고, 단기적 관점을 벗어나 장기적 관점에서 사업을 평가하여 대안을 낼 수 있고, 사업의 유지를 전제하는 사업부의 관점이 아니라 통폐합이나 철수와 같은 기업 전체 차원의 대안도 생각할 수 있다. 이런 점은 외부 컨설턴트의 존재 이유이자 부인할 수 없는 가치다.

하지만 이런 설명은 그의 질문에 대한 명쾌한 답이 될 수 없다는 느낌을 지울 수 없었다. 양심 한구석을 찔렸기 때문이다. 당시 외국계 컨설팅 회사로 이직한 후 짧은 기간 동안 20여 개의 업종을 경험했다. 컨설팅을 할 때마다 매번 고객의 업종이 달랐다. 같은 업종에 대한 컨설팅 경험이 없었기에 장기적인 안목으로 특정 산업을 연구할 이유도 없었다. 특정 프로젝트가 끝난 뒤에 고객이 사후관리 차원에서 도와달라고 해도 그 요청에 제대로 부응하지 못했다. 이미 다른 산업의 프로젝트를 하고 있어서 요청받은 산업 분야를 다시 공부할 시간도, 심리적 여유도 없었다. 그것은 컨설턴트의 문제가 아니라 체제의 문제다. 아무리 똑똑한 컨설턴트도

시간이 지나면 과거에 수행했던 산업에 대한 기억이 희미해지고, 그 산업을 바라보는 안목이 진부화될 수밖에 없다.

컨설턴트의 본질을 겨냥한 K상무의 질문은 저자에겐 큰 화두와 도전이 되었다. 고객에게 묻고, 고객으로부터 대부분의 자료를 건네받고, 프로젝트를 시작해서야 그 분야를 공부하는 방식으로는 고객의 존경을 받을 수 없다는 뻔한 이치를 각인시켜 준 것이다.

그레이헤어 전문가가 준 해답은 '전문화'

컨설턴트가 된 후 여러 분야의 일을 하면서 많은 것을 배우고 다양한 사람들을 만나는 게 너무 좋았다. 고객사의 임원과 인터뷰를 하고 돌아나올 때 수업료를 내고 싶을 정도로 훌륭한 분들도 적지 않았다.

매번 새로운 산업을 짧은 시간에 배우는 것은 힘들지만 신나는 도전이었다. 하지만 고민도 커졌다. 고객보다 고객이

속한 산업에 대한 전문성을 확보하지 못하면 그들에게 가치를 줄 수 없고 존경받는 컨설턴트가 될 수 없다는 우려였다. 삼성그룹 K상무의 목소리가 귓가를 맴돌았다.

수시로 다른 업종의 고객을 만나 빠듯한 컨설팅 일정에 맞추려면 집중력과 체력을 요구하는 강도 높은 업무방식이 불가피했다. 당시엔 컨설팅 회사에서 경험을 쌓으면 몸값을 높여 다른 조직으로 이직하는 것이 일반적이었고, 컨설팅을 평생의 업으로 하려는 사람은 거의 없었다. 나이가 들어서도 젊은 시절에 일하는 패턴과 업무강도를 감당할 수 있을지 고민하지 않을 수 없었다.

그러던 차에 모 그룹이 의뢰한 컨설팅의 최종발표를 앞두고 미국 본사에서 우리를 돕기 위해 달려온 파트너 컨설턴트를 만나게 되었다. 그레이헤어가 인상적이었던 그는 세계적인 명저의 저자였고 특정 산업과 성과관리 분야의 대가였다. 짧은 강의에도 전문성이 묻어났으며, 고객들이 그를 진심으로 존중하는 것을 느낄 수 있었다. 게다가 연세가 많았음에도 열정적으로 일하는 모습과 그의 전문성, 거기에서 비롯되었을 자신감에 큰 감동을 받았다.

그는 발표를 앞두고 밤새워 일하는 우리의 모습을 보곤 '왜 그렇게 일하느냐'고 반문했다. 특정 산업이나 서비스에 대한 지식과 정보를 평소에 갖추고 있으면 굳이 밤을 새워 일할 필요가 없다고 했다. 특정 분야를 전문화한 컨설턴트는 시간을 많이 절감할 수 있고, 그 분야에 대한 통찰력이 있어 고품질의 컨설팅을 할 수 있다는 것이다. 그 결과 건강을 해치지 않고도 프로젝트를 충실히 수행할 수 있고, 나이가 들수록 전문성과 권위가 더 높아질 수밖에 없다고 강조했다.

그의 말을 듣고 K상무의 물음에 대한 답을 찾은 듯했다. 컨설턴트는 고객을 처음 만날 때부터 고객보다 더 많은 지식과 경험을 보유하고 있어야 하며, 이를 위해선 '전문화' 외엔 돌파구가 없다는 깨달음이었다. 그는 40대 후반만 되어도 현장이나 실무에서 손을 떼는, 조로화(早老化)된 우리나라 전문가의 모습과는 판이하게 달랐다. 그 후 저자는 그를 롤모델로 삼아 나이가 들어도 확고한 전문성을 가지고 현장에서 강의도 하고, 발표도 하면서 능숙하게 변화관리를 하는 백발의 전략가를 꿈꾸게 되었다.

나는 누구를 위해 밤을 새우는가?

당시는 프로젝트를 시작하면 밤샘을 밥 먹듯 하던 시절이었다. 미국에서 온 파트너의 '그렇게 일하지 말라'던 비판이 귓가를 맴돌았지만, 저자가 전문성이 떨어지기에 어쩔 수 없다고 여겼다. 모 그룹의 본사에서 최종발표를 위한 마무리 작업을 하고 있었는데 동녘이 밝기 시작했다. 그럴 때면 피곤해도 늘 뿌듯함을 느끼곤 했는데, 그날따라 문득 이런 물음이 나를 두드렸다. '나는 누구를 위해 밤을 새우는가?'

성찰을 요구하는 이런 물음이 일어난 데는 이유가 있었다. 외국계 컨설팅 회사에서 일할 때 주요 고객은 대기업이었지만, 정부부처의 일을 맡은 적이 있었다. 중앙부처의 엘리트 공무원들과 함께 일하는 경험을 쌓을 수 있겠다는 설렘은 얼마 가지 않아 실망으로 바뀌었다. 그들의 고압적인 자세는 둘째로 치더라도 제시된 의견을 듣지도 않고 막무가내 자신들의 주장을 고집했다. 간암 진단이 나왔는데 간염으로 고쳐달라는 식이다. 국민 세금을 들여 외부 전문가들을 불러놓고 자신들의 의견을 그대로 보고서에 담아주기를 요구하였다. 이럴 거면 왜 컨설팅을 의뢰한 것인지 답답했다.

중앙부처의 국장이라면 대단한 사명감과 명석한 두뇌를 가진 인재일 것이란 기대가 산산조각이 났다. 그는 논리적이지도 않았고 자신이나 선배 공무원의 자리가 어떻게 변하는지에만 주로 관심을 보였다. 그 당시에는 이런 사람들이 국가 정책을 결정한다는 것이 한심스럽게 느껴졌다.

물론 이것이 일반적인 공직사회의 모습은 아니다. 저자는 정부관련 업무를 하면서 외압에 굴하지 않고 묵묵히 자기 역할을 다하는 공무원, 국민 생활에 큰 영향을 끼치는 국가 정책을 입안하거나 실행할 때 그 역할을 빼어나게 수행하는 보석 같은 공무원을 많이 만났다.

공직사회의 한 단면을 들여다본 경험을 계기로 정부 내부에서 벌어지는 일, 정부 경쟁력에 관심을 가지게 되었다. 매주 국가경쟁력에 관한 책을 읽고 토론하는 청년 전문가 모임인 국가전략팀을 만들었다. 국회의원의 국정감사를 돕기도 하고, 초대 민선시장 선거 때 박찬종 캠프에서 당선 후 추진할 서울시 개혁안을 만드는 팀을 맡기도 했다.

이 과정에서 중앙정부는 물론 지방자치단체가 얼마나 엉터리 경영을 하는지 수없이 확인했다. 세금은 줄줄 새고, 공무원들은 전문성은 없으면서 자신의 이익만 챙기는 것 같이 보였다. 그렇기에 오히려 공공부문에 매력을 느끼게 되었다. 재정을 잘 살필 수 있다면 수천억 원 이상의 세금도 아낄 수 있고, 정책을 잘 수립한다면 가난한 사람들에게 수백억 원의 개인 기부를 하는 것보다 더 좋은 일을 할 수 있기 때문이다.

떠오르는 해를 보며 '누구를 위해 밤을 새우나'라는 질문이 일어난 것은 이 같은 경험들이 누적되면서 비롯된 것이리라. 그러면서 이런 다짐도 했다. '기왕 밤새며 하는 일이라면 더 많은 사람에게 도움이 되는 일을 하자.' 총수 일가를 좋게 해주는 대기업 컨설팅보다 국민의 복리를 증진하는 정부 컨설팅에 뛰어들기로 했다. 당시 정부가 발주하는 프로젝트는 '고객이 고압적이고 컨설팅 보수가 낮다'는 이유로 대부분 꺼려했다. 그러나 저자는 정부 프로젝트에 기꺼이 자원하였다. 남들이 기피하는 곳으로 찾아간 저자의 선택은 훗날 컨설턴트로서의 미션을 발굴하는 결정적 계기로 작용했다. 이런 생각을 할 즈음에, 40대에는 지자체장이 되어 '국내 최고의 모범이 되는 혁신적인 도시'를 만드는 꿈을 어렴풋이 품게 되었다.

선진국의 핵심 키워드는 '의료산업'

1998년 단군 이래 '최대의 국치'라는 IMF 외환위기가 닥쳤다. 기업은 무너지고, 실업자가 흘러넘쳤다. 나라는 한 치 앞을 예측할 수 없는 상황이었다. 저자는 파격적으로 당시 33세의 나이에 청와대 직속 기획예산위원회 팀장으로 정부개혁을 담당하게 되었다. 대기업을 자문하는 경영컨설턴트로서 정부재정과 조직에 대한 경험이 많다는 게 발탁 이유였는데, 이는 남들이 꺼리는 공공부문 컨설팅을 많이 한 덕분이었다. 출연연구기관, 산하기관, 공기업, 중앙정부와 지방정부를 순차적으로 경영혁신하는 작업이 이어졌다. 말이 경영혁신이지, 실상은 구조조정이었다.

민간에 맡길 수 있는 분야의 공기업은 민간에 매각했다. 공공부문에 남겨야 할 분야는 운영체제를 바꾸고 조직과 인력을 감축하여 생산성을 높였다. 최대의 공기업이었던 한국전력공사의 발전부분을 6개 자회사로 분할하고, 중복기능이 있는 한국조폐공사의 조폐창을 통합하여 인력을 감축했다. 이 과정에서 '당신 배에는 칼이 안 들어가느냐'는 식의 협박을 수없이 들어야 했다. 조폐공사의 구조조정이 끝난 뒤에는 서울지검, 대검찰청, 4번의 특검 조사와 청문회에서 곤욕을 치르고 증인 신분으로 법정에 두 차례 서기도 했다.

국회 국정조사특위 기관보고[10)]

한국조폐공사 국정조사청문회

당시 저자가 실무적으로 총괄한 임무 중 하나는 민간에 의한 정부경영진단과 정부조직법 개정이다. '3개 부처만 시범실시한 후 확대하자'는 실무안을 올렸으나 '전(全) 부처를 대상으로 하라'는 대통령 지시가 떨어졌다. 민간 컨설팅기관이 중앙부처 전체를 경영진단한 것은 세계적으로도 알려진 바가 없는 일이다.

19개 민간 진단기관의 150명 넘는 전문가가 참여했다. 4개월 동안 전 정부부처와 일부 지자체를 경영진단하고 2개월 동안 국가공무원법과 정부조직법을 개정했다. 각 정부부처가 왜 존재해야 하는지를 묻고, 미래의 정부역할에 맞게 조직과 인력 그리고 운영시스템을 재설계하는 과정이었다. 중앙정부 조직을 통폐합하고, 역사상 처음으로 공무원의 인력을 감축했다.

정부조직의 개편방향을 잡기 위해 선진정부의 특징을 살펴보았다. 결론은 '고령화와 의료'였다. 이미 선진국들은 인구가 고령화되었고 그 속도도 빨랐다. 고령화로 인해 투입되는 정부재정이 절대금액이나 정부지출에서 차지하는 비중에 있어 모두 높았다. 보건복지정책과 함께 의료산업이 매우 발달해 있다는 공통점이 발견됐다.

선진국의 사례를 보면서 고령화는 피할 수 없는 엄청난 재정악화 요인이지만, 한편으론 의료산업을 키우는 새로운 기회라고 판단하였다. 우리나라에 또다시 위기가 닥친다면 그것은 고령화 때문이며, 선진국으로 진입할 기회가 온다면 그 역시 의료산업 덕분일 것이라는 확신이 이때 섰다. 하지만 당시 우리나라는 정부의 보건복지와 관련된 조직과 예산 그리고 의료산업의 수준이 너무나 미흡했다.

이런 사실을 알게 된 뒤, 공공부문과 함께 보건복지, 의료분야에 더욱 큰 관심과 애정을 가지게 되었다. 공공부문이 좋아지면 국민이 받는 서비스가 개선되고 국가경쟁력이 높아진다. 병원을 개선시키면 환자와 국민의 건강에 도움이 된다. 두 분야 모두 전문성과 경쟁력을 높이면 특정 개인이 아니라 많은 사람에게 혜택이 돌아가기 때문이다.

자신만의 전문성으로 기여하는 삶을 선택

정부에 들어가 공무원으로 일하는 동안 40대에 지자체장이 되어 모범 도시를 만들겠다는 꿈이 더욱 가까이 다가오는 듯했다. 청와대 직속의 기획예산위원회와 이후 기획예산처(現 기획재정부)에서 정부개혁 업무를 수행하면서 청와대의 정책기획수석, 경제수석, 정무수석을 비롯하여 부처 장차관과 미팅하는 자리가 잦았다. 정부조직 개편안을 놓고 이계식 정부개혁실장을 모시고 저녁 늦게 총리실을 찾아 당시 공동정부의 한 축인 김종필 총리, 김용환 의원과 논의하는 자리도 있었다.

그 과정에서 공직사회의 높은 자리에 올라가도 개인의 열성만으로는 정부에서 할 수 있는 일이 그리 많지 않다는 것과 공직사회는 성과를 내기 어려운 구조임을 실감하게 되었다. 한 가지의 정책을 입안하기까지 청와대와 관계부처는 물론 국회 상임위의 국회의원, 관련 이익단체 그리고 언론 등 도처에 만만치 않은 상대가 도사리고 있었다. 그 과정이 쉬울 리가 없었다. 당시는 그나마 IMF 위기 상황이었기에 공기업을 매각하기도 하고, 통폐합도 하고, 공공부문의 인력을 줄이기도 할 수 있었다. 하지만 이 같은 극단적인 위기 상황이 아니라면 지자체장이 된다한들 할 수 있는 게 뭐가 있을지, 또 정치인을 비롯한 수많은 이익집단을 설득해야 하는 과정을 잘 할 수 있을까 하는 우려가 깊어졌다.

이와 반대로 저자가 컨설팅을 통해 할 수 있는 일은 많아 보였다. 어떤 분야를 막론하고 최고경영자와 의기투합하면 그

조직과 구성원의 바람직한 변화를 이끌어 구체적인 성과를 거둘 수 있었다. 또 당시 공기업 혁신과 중앙정부 경영진단을 수행하면서 국내의 거의 모든 외국계 컨설팅 회사를 활용하다보니 이들의 허와 실을 잘 알게 되었다. 당시 우리나라 정부나 대기업 등 대표적인 조직들이 외국계 컨설팅 회사를 선호했는데, 국내 컨설팅 회사는 도외시하고 그들에게 의존하는 상황을 바꾸고 싶은 마음도 커졌다.

그러던 차에 저자가 실무적으로 총괄하던 중앙정부 조직개편이 마무리되었다. 지방선거를 앞두고 '표 떨어지니까 개혁하지 마라', '들쑤셔서 시끄럽게 하지 마라'는 여당 의원들의 요구가 실무자인 저자에게까지 밀려들었다. 정치 지형의 변화로 '정부개혁'을 추진할 동력을 잃게 되면서 저자로선 정부에 더 이상 머무를 이유가 없어졌다. 원도 한도 없이 일했고, 또 새로운 목표도 세웠기에 미련 없이 사표를 던졌다.

공공부문의 가치에 눈을 뜬 뒤 보건복지, 그중에서도 의료부문에 전문성을 쌓기로 했다. 이 분야에 집중하여 압도적인 전문성을 가질 수 있다면 환자와 의료진, 더 나아가 국민과 사회, 국가에 도움이 되는 일을 꾸준히 할 수 있고, 나이가 들수록 그 일의 가치는 더욱 빛날 것이라고 생각하였다. 특히 남들이 회피하거나 가치를 발견해내지 못한 길을 찾아내 그곳에서 독보적인 영역을 확보한다면 다른 사람, 다른 조직과 경쟁하지 않고도 멋진 컨설턴트의 길, 목적 있는 삶을 향해 흔들리지 않고 걸어갈 수 있다는 믿음을 가지게 되었다.

회사를 창립하여 공공부문과 보건의료분야의 컨설팅 시장을 개척하느라 여념이 없었던 30대 시절에도 정치권과 재벌그룹으로부터 과분한 영입 제의를 적지 않게 받았다. 그분들의 호의가 감사했지만, 솔깃하거나 흔들린 적이 거의 없었다. 우리나라를 위해서 꼭 필요한 분야에서 탁월한 전문성을 쌓고 꾸준히 성과를 내어 사회에 기여하는 것이 내가 원하는 삶이라고 확신했기 때문이다.

2부

건강강국의 꿈

오늘 누군가가 그늘에 남아 쉴 수 있는 이유는
오래 전 누군가가 나무를 심었기 때문이다.

「 워렌 버핏 」

두드려라 그러면 열릴 것이다

20여 년 전은 '병원경영', '의료산업', '경영 컨설팅'이라는 용어가 낯설던 시절이었다. 주변에서는 병원을 대상으로 하는 경영 컨설팅을 만류했다. '시장이 없는데 어떻게 존속할 수 있느냐', '업으로 삼기에는 무모하다'는 것이다.

그러나 한동안은 힘들겠지만, 우리나라가 발전하면 의료시장이 열릴 수밖에 없고 그때는 의료 컨설팅에 먼저 뛰어든 선두주자가 의미 있는 역할을 할 수 있다는 확신이 있었다. 우리나라에 꼭 필요하지만 다른 컨설팅 회사들이 하지 않는 일을 하겠다는 다짐도 확고했다. 그 확신과 다짐의 산물이 '엘리오앤컴퍼니'이다.

공무원을 그만둔 지 오래지 않아 운이 따랐는지 '연세의료원의 새천년 비전 수립 프로젝트'를 수행하게 되었다. '하나님의 사랑으로 인류를 질병으로부터 자유롭게 한다(2000년)'는 미션을 비롯하여 비전과 전략을 지금은 고인이 되신 한동관 의료원장과 강진경 당시 병원장과 함께 수립했다(존칭 생략). 이때 수많은 발표와 토론이 있었는데, 그 과정에서 병원경영과 의료산업에 대해 가졌던 문제의식이 틀리지 않았음을 확신할 수 있었다. 하지만 그 후 이렇다 할 기회가 찾아오지 않았다. 지금처럼 나라장터와 같은 정부의 입찰정보시스템이 없었기에 입찰이 있어도 정보를 제때 알 수 없었다. 대부분의 대학병원과 대기업, 정부관련 기관들은 익히 알려진 대규모 컨설팅 회사에만 참여기회를 주었다. 그래서 명성이 없는 컨설팅 회사들은 인맥에 의존해 정보를 구해야 하는 시절이었다. 외국계 브랜드를 빌리지 않고, 수주를 위한 접대를 하지 않고도 세계적인 컨설팅 회사를 이길 수 있는 조직을 만들자고 마음은 먹었지만, 막막한 심정이었다.

저자가 생각해낸 돌파구는 책 쓰기였다. 의료계와 병원경영에 도움이 되는 책을 내면 엘리오의 이름이 알려져 컨설팅 기회가 찾아올 것이라고 판단했다. 특정 분야를 선제적으로 연구하여 자신을 알리는 정통적인 지식마케팅(Knowledge Marketing)의 방식을 택한 것이다.

연세의료원의 프로젝트 경험을 기반으로 의료계와 대학병원의 문제점과 대응전략에 대해 연구하고 분석했다. 그 결과를

'의료정책과 병원경영(2002년)'이라는 책으로 엮어 모든 대학병원의 병원장께 보내드렸다. 그중 절반 가까운 분이 격려를 담은 서신이나 전화를 주셨다. 그때는 병원경영에 대한 책이 거의 전무했기에 그토록 반가워하셨던 것 같다.

강의요청이 들어오기 시작했다. 거리가 멀든 가깝든, 주말이든 평일이든 그 어느 것도 가리지 않고 달려갔다. 그럼에도 기회의 문은 열리지 않았다. 대학병원의 병원장님들이 직접 엘리오 사무실에 방문하여 같이 일해보자는 의사를 밝히곤 했다. 하지만 항상 컨설팅 보수가 걸림돌이 되어 무산되었다. 당시 의료계는 컨설팅을 잘 하지도 않았지만, 하더라도 보수는 대부분이 3,000만 원 미만이었는데 저자는 그것의 10배 이상을 요구했기 때문이다.

보수를 내려서라도 컨설팅을 하자는 임원들의 권유나 스스로의 유혹도 없지 않았다. 하지만 그럴 순 없었다. 낮은 연봉으로는 우수 인력을 확보할 수 없고, 우수 인력 없이 최상의 컨설팅을 하는 것은 불가능하다는 판단 때문이었다. 창립

초기부터 엘리오의 컨설턴트들은 어느 외국계 컨설팅 회사에도 채용될 수 있는 스펙을 가진 인재들이었다.

의료 컨설팅 기회가 찾아오지는 않고 공공부문이나 일반기업을 대상으로 컨설팅하면서 그렇게 3년이 흘렀다. 그동안 대학병원의 병원장 여덟 분, 이사장 세 분이 엘리오 사무실을 다녀갔다. 열두 번째로 나타난 분은 예일대학교 출신의 엘리트 수녀님이었다. 그분은 수도회에서 운영하는 대형병원의 병원장이었는데 저자의 강의를 듣고 사무실로 찾아왔다. 대화 끝에 보수를 들으시곤 열흘의 말미를 달라고 했다. 일주일이 지난 후 '컨설팅 보수는 그대로 책정하되, 잔금만 프로젝트 종료 시점으로부터 5개월 후에 줘도 되겠느냐'며 전화를 주었다. 아마도 다른 수녀님들을 설득하는 논리였을 수 있겠다는 생각이 들어 흔쾌히 수용했다.

그 병원은 환자가 적어 외래진료실이 비어 있고 병상가동률이 매우 낮았다. 빈 공간을 활용하여 신경과, 신경외과, 재활의학과, 마취통증의학과 등 관련 외래를 한 층에 모아 뇌신경전문병원을 개원하였다. 지역 일간지의 첫 면에 뇌신경전문병원에 소속된 전체 의료진 사진을 넣어 개원소식을 알렸다.

그 후 연말에 병상가동률이 10% 이상 오르면서 어려웠던 경영 수지는 물론 병원의 이미지도 획기적으로 개선되었다.

귀인들과의 만남

저자가 펴낸 여러 책의 독자로, 강의의 수강자 등으로 인연을 맺게 된 훌륭한 분들의 도움을 통해 최고의 의료계 경험을 할 기회를 가질 수 있었다. 치과계에서 가장 탁월한 경영자였던 장영일 병원장과 함께했던 'Global Leading Edge'(세계 첨단을 선도하는 치과병원, 서울대학교 치과병원, 2005년) 프로젝트가 스타트를 끊었다. 성상철 병원장과 함께 '대한민국 의료를 세계로 이끄는 병원'(서울대병원, 2006년)이라는 미션과 비전 그리고 중장기 발전전략을 전 구성원과 함께 만드는 귀한 기회도 주어졌다. (이하 존칭 생략, 프로젝트 진행 順)

서울대학교병원의 비전을 수립한 후 서울대병원 운영 시립 보라매병원(2007년), 분당서울대병원(2008년), 서울대병원 강남센터(2008년)의 프로젝트를 연이어 수행하면서 의료분야의 경쟁력을 높여야 한다는 사명감과 높일 수 있다는 자신감이 더욱 커졌다. 당시 정희원 병원장, 정진엽 병원장, 오병희 병원장과 함께 토론하며 대학병원의 경영은 물론 우리나라 의료계 전반의 실상, 문제의식과 해결해야 할 과제 등을 정리할 수 있었다.

프로젝트를 수행할 때마다 고객 병원을 저자의 것이라 생각하고 혼신의 힘을 다했다. 병원을 단순히 대상으로만 보고 권고안을 짜내는 게 아니라 내가 주인이라면 어떻게 경영할 것인지를 고민했다. 그래서 프로젝트를 마친 후에도 실행을 안 하면, 병원장을 찾아가서 왜 손을 놓고 있느냐며 재촉하곤 했다.

이런 자세는 대기업 컨설팅을 할 때 다졌던 각오에서 비롯됐다. 모 그룹의 본부장인 전무는 저자의 발표가 끝나자 강압적이고 비난이 섞인 질문을 쏟아냈다. “당신은 비즈니스 해봤어요? 사업이 이론적으로 되는 겁니까? 만약 몇 년 지나서 이 사업이 잘되면 당신이 책임질 겁니까?” 저자가 수천억원이 투자된 해외사업을 철수해야 한다고 권고한 데 대한 반발이었다. 저자는 “전무님은 당신의 돈으로 비즈니스를 해본 적 있습니까? 자신의 돈으로 비즈니스를 하지 않으면 어차

피 크게 다르지 않다고 생각합니다. 이론적으로만 되는 것은 아니지만, 논리도 중요합니다. 전무님은 오늘 제 발표를 처음 들었으니 일주일의 시간을 드리겠습니다. 그 안에 틀린 것을 알려주시면 그때는 저의 견해를 바꾸겠습니다"고 말했다.

발표가 끝난 후 '속이 시원했다', '정직하게 발표해줘서 고맙다'며 회장님이나 다른 임원들의 호평과 격려를 받았다. 하지만 본부장의 질문은 뇌리를 떠나지 않았다. 정말 내 돈을 그 정도 투입했어도 철수 결정을 할 것인지, 그것만이 정답이라고 자신할 수 있는지를 수없이 곱씹을 수밖에 없었다. 이를 계기로 무슨 일을 하든지 '내 돈이면'이라는 질문을 던지고 검증하고 또 검증하는 게 습관이 되었다.

서울대병원과 관련된 기관들을 모두 컨설팅하자 입소문이 나면서 리더십이 탁월한 병원경영자들과의 인연이 이어졌다. 이화의료원의 서현숙 의료원장, 중앙대병원의 박용현 이사장과 하권익 의료원장, 연세의료원의 한동관, 지훈상, 박창일 의료원장, 서울아산병원의 이승규 의료원장과 이상도 병원장, 고대의료원의 김효명, 이기형, 김영훈 의료원장 등 진료역량, 경영역량은 물론 열정까지 두루 갖춘 분들이었다.

획기적인 성과가 새로운 지평을 열어

이분들의 역량과 신뢰 덕분에 다양한 경험과 기록적인 성과를 낼 수 있었다. 기업과 달리 의료계에서는 시스템 구축 같은, 눈에 보이지 않는 컨설팅 성과에 대해서는 좀처럼 감동하지 않았다. 조기에 가시적인 성과가 있어야만 인정과 존중이 뒤따랐다.

소기의 목적을 달성한 컨설팅이더라도, 컨설팅 과정에 직접 관여하지 않았거나 추진과정에서 조금이라도 불이익을 당한 병원 구성원들에게 좋은 평판을 기대하기는 어렵다. 나쁜 소문은 좋은 소문보다 훨씬 더 빨리 퍼지는 법이다. 의료계에는 의료인 가족이 많고 친구나 동창이 전국 각지의 병원에서 근무하고 있다. 각종 협회, 학회, 동창회 등에서 학술대회를 비롯한 다양한 행사들도 수시로 열린다. 정보의 공유가 너무나 빠르다는 사실을 잘 알기에 저자는 획기적인 성과를 내는 데 집중했다.

수익개선에서부터 전문화 전략, 성과관리체계 구축, 전략적 구매, 진료패턴 혁신, 공간 재설계, 브랜딩, 부지 확보와 신설병원 개원, 정보화에 이르기까지 각 분야별 성공사례들을 고객과 함께 창출했다. 재정위기에 처한 병원을 기사회생시키기도 하고, 오랜 기간 만성 적자인 국립대병원을 흑자로 전환했다. 부실한 두 병원을 통폐합하여 통합원년에 흑자경영을 실현했고, 진료전문화를 통해 단기간 내에 중증도와 병상가동률을 획기적으로 높였다.

성과급 제도를 통해 진료수익의 약 20%, 이익의 약 90%를 상승시켰고, 전략적 구매와 진료패턴 혁신으로 진료수익의 5%에 해당하는 원가를 절감하기도 했다. 의료계에서 처음 시도하는 신개념의 편의시설과 공간 재설계 그리고 새로운 홍보방식을 통해 병원의 위상을 높였다. 대학병원의 분원을 차별화된 개발개념과 자금조달방식으로 큰 자금부담 없이 성공적으로 개원했다. 수익예측, 성과분석 그리고 진료공간·장비의 실시간 모니터링 등을 위한 분석계 정보시스템의 영역을 개척하기도 했다. 이 모두는 우리나라 의료계에서 '최초의 시도', '획기적인 성과'로 회자되는 대표적인 사례들이다.

이런 성과에 대한 평판은 고객들에게로 자연스럽게 퍼져나갔다. 고객들은 한 프로젝트에서 성과가 나지 않으면 연이어 프로젝트를 맡기지 않는다. 그래서 선진국에서는 동일 고객을 대상으로 한 연속 프로젝트의 횟수를 컨설팅 회사의 역량을 평가하는 핵심지표로 삼는다. 엘리오는 동일 병원에서 평균 4회, 최대 13회 연속해서 프로젝트를 했고, 동일 의료원에서는 최대 26회의 프로젝트를 수행했다. 비전전략 프로젝트를 한 후 다시 점검하고 새로운 비전을 수립하기 위해 3, 5, 10년 단위로 엘리오를 찾는 병원도 적지 않다.

우리나라에서 분야별 최고의 조직이 의료관련 사업을 할 때는 엘리오를 선택했다. 대학병원은 Big4 병원이, 정책기관은 보건복지부와 보건산업진흥원이, 국공립병원은 국가중앙의료원, 국립암센터, 서울의료원이, 요양병원은 보바스병원, 대기업은 삼성바이오, 현대중공업, 두산, 롯데 등이 있었다. 대기업의 의료분야 프로젝트를 놓고선 해당 대기업들이 파트너로 활용하고 있던 외국계 톱클래스 컨설팅 회사와 수임 경쟁을 벌였는데, 이들과 겨뤄서도 진 적이 없다.

Big 4 병원을 포함하여 Top 10 병원 중 9개, 상급종합병원의 67%, 전국 국립대병원 82%와 전국 치과대학병원의 73% 등의 프로젝트를 수행했고, 총 프로젝트 수는 270회를 넘는다. 중소병원이나 전문병원도 70여 회 수행했다. 엘리오는 최고의 고객들이 선택했고, 선택한 고객이 연이어 선택했고, 대부분의 대학병원들이 선택했다. 이런 기록은 세계에서도 유례를 찾아보기 어렵다. 존스홉킨스 보건대학원에서 저자를 자문교수(Faculty Preceptor)로 위촉하겠다고 요청하여 이력서를 보냈더니, 컨설팅 목록을 보고선 놀라워했을 정도였다.

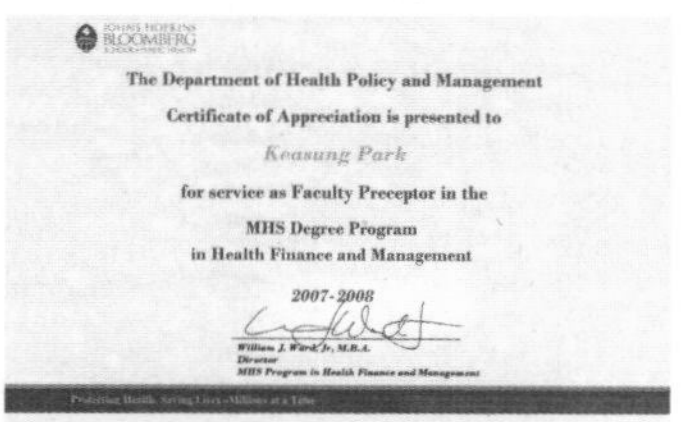
JOHNS HOPKINS BLOOMBERG

The Department of Health Policy and Management

Certificate of Appreciation is presented to

Keasung Park

for service as Faculty Preceptor in the

MHS Degree Program
in Health Finance and Management

2007-2008

William J. Ward, Jr, M.B.A.
Director
MHS Program in Health Finance and Management

존스홉킨스 블룸버그 공중보건대학에서 자문교수를 역임하여 수여받은 감사증서

설립 후 8년 차가 되었을 때 글로벌 브랜드를 가진 컨설팅 회사가 4년에 걸쳐 합병 제의를 해왔다. 흔히 합병 회사의 이름을 어떻게 정하느냐가 협상 줄다리기에서 최대 관건 가운데 하나로 떠오른다. 저자가 '엘리오 이름은 내리지 못한다'고 하자 상대 회사는 '우리 브랜드 앞에 엘리오를 넣겠다'라고까지 하며 파격적인 제안들을 했으나 망설임 없이 거절했다. 외국계의 선도적인 컨설팅 회사를 넘어서는 국산 브랜드 컨설팅사를 일구겠다는 각오가 있었기 때문이다.

이 모두는 저자에게 뿌듯한 경험을 넘어 축복이자 행운이었다. 이는 매년 많은 프로젝트를 수행해 온 것이 결정적인 기반이 되었다. 양이 축적되면 질적인 도약이 이루어지는 것을 양질전환(量質轉換)의 법칙이라 한다. 그런데 저자는 일반적인 양질전환의 수준을 뛰어넘고 싶었다. 비범한 차원의 질적 향상은 양만 축적된다고 이루어지지 않는다. 이를 위해서는 축적과정에서 '치밀한 전략과 꾸준한 투자'가 수반되어야 한다. 과거보다 더 편하고 능숙하게 일하고 완성도가 조금 더 높은 수준을 넘어 '새로운 차원의 품질 창출'을 위해 조직을 두 가지 축으로 진화시키고자 했다.

한 축은 '일하는 방식'을 완전히 새롭게 하는 업무혁신이었다. 반복적인 업무를 정보화하고, 데이터베이스나 정보시스템을 구축했다. 분석시간을 현저히 줄이고, 대안과 실행지원에 많은 시간과 에너지를 투입할 수 있게 했다. 예를 들어, 4개월 프로젝트를 수행할 때 2개월 이상이 걸리는 분석 작업을 3주 내에 끝내고, 대안을 만들 때도 데이터베이스 등에 축적된 기초적인 조사와 사례를 활용함으로써 시간단축은 물론 품질이 획기적으로 높아진다.

또한 의료산업에 특화된 컨설턴트를 육성하여, 경험이 많은 이들이 프로젝트의 제안단계와 초기부터 역할별로 현장에 참여하게 한다. 이들은 축적된 노하우를 활용하여 시행착오를 현저히 줄이고 특정병원에 최적화되고 구체적인 대안을 제시하여 성공률을 높인다. 그 결과 경험이 적은 젊은 컨설턴트로 구성되어 보고서 작성에 급급한 일반적인 컨설팅의 한계를 극복할 수 있게 된다.

또 다른 한 축은 컨설팅업의 한계를 극복하게 하는 업(業)의 확장이다. 이런 노력의 결과가 토탈서비스와 컨솔빙이다. 의료경영과 관련된 모든 서비스를 통합적으로 제공하고, 계획은 물론 실행도 고객과 함께 하면서 고객에게 필요한 지식과 도구 그리고 네트워크를 제공함으로써 성공확률을 높이는 방식이다. 이런 방식의 서비스가 더욱 확장되면 진정한 의미의 병원경영지원회사(MSO, Management Service Organization)로 진화할 것이다.

위와 같은 두 가지의 혁신은 의료분야 전반에 대한 경험과 노하우가 축적되었을 때만 가능한 것이다.

컨설팅을 평생의 업으로 삼는 최고의 전문가

전국에 있는 다양한 병원들을 대상으로 다양한 성격의 프로젝트를 매년 꾸준히 수행하기 때문에 고객보다 압도적인 지식과 경험 그리고 정보를 보유한 컨설턴트를 육성할 수 있었다. 엘리오의 임원들은 의료관련 프로젝트만 평균 50개 넘게 관여하여 국내 최고의 경험을 보유하였다.

이들 임원 각자는 경영전략을 기본으로 하되 병원과 관련된 건축, 건강검진센터와 편의사업, 재무와 구매, 정보화 등 특별히 관심 있는 세부전공을 개척하였다. 조직의 전문성 강화를 위해 컨설팅본부, 협력경영본부, IT솔루션본부, 브랜드본부, 교육사업본부 등으로 세분화해 운영하고 있다.

임원들은 엘리오에서의 재직연수가 평균 16년이나 되며, 현장에서 실무와 변화관리 등 핵심적인 업무를 담당하고 있다. 이직이 잦고, 나이든 사람들은 수임(受任)이나 매니징만

하는 컨설팅업계의 관행에 비추면 매우 이례적인 일이다. 이는 저자가 그랬듯이 그들도 컨설팅을 다른 직업으로의 발판이 아니라 평생의 업으로 선택했기 때문이다. 이런 직업관은 고객을 대하는 자세와 학습하는 자세 등에서 엄청난 차이를 불러온다.

컨설팅 업계는 물론 의료분야에서 계속 일할 것이기 때문에 고객과 진실되고 장기적인 신뢰관계를 형성하게 되고 자신의 평판을 관리할 수밖에 없다. 장돌뱅이처럼 무책임하게 팔고 다른 장(場)으로 옮겨가거나 일을 대충 하고 넘어가는 것은 생각조차 하기 어렵다. 보건복지, 의료산업이라는 분야를 계속할 것이기에 처음부터 제대로 배우고, 피상이 아닌 본질을 꿰뚫으려고 노력하게 된다. 이런 과정을 통해서 이들은 엘리오의 인재상인 '리더십을 가진 전문가'로 성장하는데, 이를 이니션(Initian™)이라고 칭한다.

병원이 특정 분야에서 고품질 의료를 확보하기 위해선 기본적으로 해당 전공의들이 많아야 하듯이, 컨설팅 회사도 의료 컨설팅에서 높은 품질을 확보하려면 의료분야에 특화한 전문가가 많아야 한다. 엘리오는 우리나라에서 의료나 병원

경영 분야의 컨설턴트를 가장 많이 보유하고 있다. 이들은 오랫동안 돈독한 신뢰를 가지고 호흡을 맞추어왔기에 능란한 팀플레이가 가능하다. 고객이 10년 뒤에 다시 엘리오를 찾아와도 이전의 담당 임원이 그 고객을 응대하고 업무를 맡는다. 잦은 이직이 일상적인 일반 컨설팅 회사와는 완전히 차별화되는 지점이다.

국내 최고의 경험을 가진 이들은 매주 심의회에 모두 참여하고, 자신의 세부전공과 관련해서는 직접 현장에 투입하여 조직 차원에서 프로젝트의 품질을 견인시킨다. 컨설팅의 품질은 현장에 파견된 임원과 컨설턴트의 능력에만 의존하지 않고 컨설팅 회사의 조직역량에 의해 뒷받침되어야 하기 때문이다. 이들은 충분히 많은 프로젝트를 수행했기에 지금까지보다 더 획기적인 성과와 대표적인 사례를 창출하는 것, 즉 새로운 기록을 세우는 것을 목표로 한다.

엘리오는 컨설턴트의 전문성 제고를 위한 여러 제도를 운영하고 효율적인 학습환경을 조성하고 있다. 월 2회 오피스데이와 분기별 컨퍼런스 등을 통해 많은 프로젝트의 성과를 공유하고, 지금까지 이룬 업적보다 더 뛰어난 성과가 무엇이었는지, 또 특정 프로젝트를 다시 수행한다면 무엇을, 어떻게 더 잘 할 수 있을지를 토론한다.

각종 정보시스템에 있는 자료와 정보를 통해 컨설턴트들이 스스로 학습할 수 있는 여건이 마련되어 있고, 엘리오 아카데미를 통하여 경력에 따라 단계별 교육을 받는다. '컨설턴트의 자세와 필요역량'에서부터 '경영기법과 분석 툴의 활용방법', '의료산업에 대한 지식', '리더십과 변화관리' 등의 교과를 비롯하여 엘리오만의 일하는 방식인 '고비결전자역행(顧飛結前資逆行)', 자료작성방식인 '현문개비전조일(現問改飛戰組日)'을 공유하고 이를 지속적으로 발전시킨다.

고객도, 경쟁자도 가지지 못한 유일무이한 작품들

유일무이한 회사는 설립정신이 달라야 하고, 이는 차별화를 위한 원천이 된다. 다른 회사보다 조금 더 높은 경쟁력을 원하는 회사는 기존보다 더 나은 수준, 더 숙련도가 있고 정성이 담긴 제품이나 서비스를 만들어내는 것을 추구한다. 일하는 절차와 방식을 개선시키지만 근본적인 변혁을 시도하지는 않는다. 그러나 유일무이한 것을 추구하는 회사는 기존과 다른 방식을 택하며 현재는 존재하지 않는, 꼭 필요한 것을 만들어낸다.

그래서 엘리오는 고객은 물론 다른 컨설팅 회사에서는 만들 수 없는, 가질 수 없는 자산을 만들기 위해 노력했다. 그동안의 경험과 네트워크를 활용하여 병원을 종류별, 규모별, 지역별로 나눠 경영과 재무실적, 진료실적, 원가정보, 인사와 급여, 건축통계, 주요 설문에 대한 데이터베이스를 구축하였다. 특히 질환별 진료패턴에 대한 데이터베이스는 분석 대상 병원의 의사들이 평균적인 의사나 명의의 진료패턴과 무엇이, 얼마나 다른지 비교 분석을 가능하게 한다. 병원경영과 관련해서 구비할 수 있는 최대한의 세부정보로 국내외적으로 유일무이한 작품이다. 이를 포함한 '7대 데이터베이스'는 하나하나 오랜 연구개발을 통해서 구축한 것이다.

이런 데이터베이스를 기반으로 업무의 효율성을 높이고, 분석의 질을 높이기 위한 정보시스템들도 구축하였다. 설문조사를 예로 들어보자. 최근 들어 대부분 컨설팅 회사들은 컨설팅 대상 조직의 구성원이나 고객을 상대로 설문을 축소하거나 하지 않는 경향이 있다. 비용은 차치하고라도 투입해야 하는 노력과 시간이 생각보다 많이 들기 때문이다.

설문조사의 흐름은 대략 이렇다. 설문 초안을 작성하여 리뷰하고, 최종안이 결정되면 설문 인쇄물을 만든다. 인쇄물이 나오면 배포하고, 환자나 지역주민에게는 설문요원을 일일이 보내 물어야 한다. 내부적으로 수차례 독려를 하고 설문지를 회수한 후 코딩을 위해 아웃소싱 회사에 보낸다. 엑셀로 작성된 코딩 결과를 받으면 숫자들을 보면서 분석한 후 의미 있는 내용만 골라내 그래프로 그린다. 이런 방식으로 하니 컨설턴트들이 단순작업과 보고서 작성에 많은 시간을 빼앗기고 대안을 만들 시간이 빠듯해지게 된다.

엘리오의 방식은 다르다. 설문조사와 분석시스템을 구축한 후 모바일이나 PC로 설문을 할 수 있고, 설문 진행과 거의 동시에 실시간으로 분석시스템에서 모든 그래프를 다차원으로 자동 산출한다. 특히 다른 병원을 대상으로 실시한 동일설문의 결과 값과도 비교할 수 있다. 인쇄, 회수, 코딩, 슬라이드 작업은 엘리오에선 하지 않는다. 이런 과정 모두를 없애는 대신 컨설턴트들이 마치 MRI를 보듯이 다차원의 그래프를 보면서 해석하고 대안을 만들 수 있도록 했다. 한 달 이상 소요되는 작업을 일주일 내 분석까지 마칠 수 있게 되었다. 남은 시간은 대안을 더 깊게 살펴보거나 전략의 실행을 돕는데 활용해 컨설팅의 품질을 전반적으로 높이는 데 활용된다.

이는 일례에 지나지 않는다. 병원의 정보시스템과 연결하여 경영전반을 실시간으로 모니터링할 수 있는 시스템(혜안)을 비롯하여 병원역량을 요소별로 입력하면 전년과의 비교, 타 병원과의 비교가 가능한 시스템(엣지)도 있다. 또 특정병원의 주요 지표를 바꾸면 그 병원의 실적에 어떤 영향을 미치고, 얼마의 수익이 증가하는지 시뮬레이션 할 수 있는 정보시스템도 개발하였다. 이처럼 통합경영관리·역량분석·실적분석·재무분석·직무가치분석·역량개발평가 등의 7대 정보시스템이 존재한다.

엘리오는 '7대 데이터베이스'와 '7대 시스템'을 구축하는데 10여 년에 걸친 시간과 막대한 인력과 예산을 투입하였다.

객관적 진단, 창의적 대안 창출을 떠받치는 두 기둥으로, 엘리오만의 독창적 산물이다. 존스홉킨스병원의 경영진도 이 시스템을 보고 '우리병원의 시스템들보다 더 낫다'고 한 적이 있다. 하지만 여기서 멈추지 않고, 더 정교하게 발전시켜 보다 많은 병원들이 함께 활용할 수 있게 할 예정이다.

'빨간 책'부터
'경영의 명의'까지

국내 선도 대학병원들의 비전과 전략, 대기업의 의료산업 진출전략 프로젝트 등 대다수의 업무를 수행할 때 세계적인 선진 병원과 의료산업의 실태를 파악한다. 미국의 메이요 클리닉과 존스홉킨스병원을 비롯하여 일본의 도쿄대병원, 세이루카병원, 시즈오카암센터 등은 물론 유럽과 중국의 상위 랭크 병원 또는 특색 있는 병원들을 수시로 방문한다. 이들 병원의 핵심 관계자들과 주요 과제를 논의하고 해외병원의 사례를 분석하는 과정에서 새로운 아이디어를 얻기도 했고, 해외대학의 보건대학원에 초빙되어 특강을 하는 등 기관이나 개인차원의 네트워크를 형성하여 긴밀히 교류했다.

이 과정에서 얻은 해외병원의 수많은 자료와 정보들이 그동안 엘리오가 거둔 성과의 큰 기반이 되었다.

그동안 축적된 경험을 공유하기 위해 의료와 관련해서 12권의 단행본을 펴냈다. 병원경영자를 주요 독자로 하는 책인 만큼 내용을 구상하고 발간하기까지 수많은 토론과 연구를 통해 의료계의 문제점과 대안을 최대한 심도 있게 고민하게 된다. 그래서 책 한 권을 쓰기 위해 대형프로젝트 몇 개를 수행하는 수준의 시간과 노력이 들어간다. 의료계의 경영진을 대상으로 한 책이기 때문에 판매부수의 한계가 있을 수밖에 없다. 판매 이익을 염두에 뒀다면 쓸 이유가 없다. 하지만 의료계의 미래를 좌우하는 경영진에게 좋은 영향을 줄 수 있다면 그만큼 가치 있는 일은 없다는 신념이 의료 관련 단행본만 12권을 쓰게 한 동력이 됐다. 실제로 책을 읽고 자신의 생각과 행동을 바꾸어 병원이 발전하고, 환자에게 좋은 서비스를 제공하게 된 이야기를 들려주는 경영자분들이 적지 않다. 저자는 그들의 말씀이 책값이라고 생각한다.

그런데 고백하자면, 가장 큰 수혜자는 저자와 엘리오였다. 그간의 경험을 분석하면서 자료를 수집하고 관련된 국내외 논문과 서적을 읽고 엘리오의 스태프들이나 관계자들과 논의한다. 이 과정에서 데이터베이스를 정비하기도 하고 새로운 생각과 미래에 대한 구상도 할 수 있었다.

시중에 의료분야의 병원경영에 대한 서적이 거의 없을 때 병원전략, 병원장의 리더십에 대한 책을 펴내고 틈틈이 개정해왔다. 빨간색 표지로 발간한 '병원장은 있어도 경영자는 없다(2006년)'는 병원장들이 '빨간 책'이라고 부르며 많은 공감을 해주셨다. 의료산업이 활성화되지 않았을 때 펴낸 '병원은 많아도 의료산업은 없다(2007년)'에서는 다양한 정책대안을 제시하였고 특히 대기업들이 의료산업에 진출해야 함을 역설했다.

병원경영 분야의 각론을 다룬 '엘리오 병원전략(2010년)'에 이어 '병원장은 있어도 경영자는 없다'를 확대 개정하여 보직자들의 중요성과 보직자들의 필요 역량에 대한 내용을 보강한 '윙맨리더십(2013)'과 '병원인재의 조건(2013)'

을 펴냈다. 그 뒤 중소병원에 특화된 경영전략서 성격의 '중소병원 생존전략(2019)'에 이어 의료산업화 시대의 경영자 역할을 제시한 '경영의 명의(2020)'를 발간하였다.

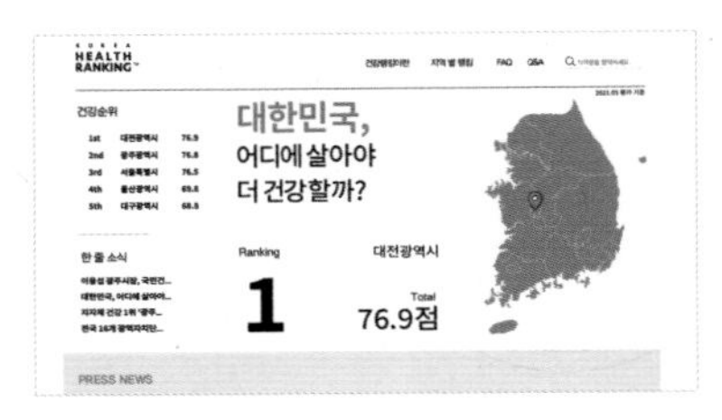

2009년부터 매년 전국의 시군구별로 건강지표를 종합평가하여 랭킹을 매기고, 그 원인을 분석하여 그 결과를 건강랭킹 사이트(Healthranking.org)에 게시하고 있다. 조선일보, 중앙일보와 함께 이를 기사화한 바 있고, 2021년에도 연합뉴스를 비롯하여 주요 일간지에서 보도하였다(그림 14). 수행하는 프로젝트 중에서 심화연구가 필요한 것들은 종료 후에 추가연구를 통해 리서치 페이퍼를 작성했다. 대표적으로 의료산업의 국가연구개발 전략, 디지털헬스케어의 전망, 해외 실버산업의 현황과 시사점 등과 같은 선행연구로 미래의 의료산업을 준비하고 있다.

앞서 유일무이한 회사가 되기 위한 조건으로 전문가, 데이터베이스, 정보시스템, 연구성과를 들었다. 마지막으로 빼놓을 수 없는 조건이 계획과 실행을 할 때 필요한 '분야별 네트워크'다. 오랫동안 한 우물을 팠기에 관련된 전문기관들과 협업을 할 기회가 많았고 그들의 역량을 검증하게 되었다. 그 결과 국내외의 선진병원들, 국내 최고의 투자사, 건축설계사무소, 법무법인 및 공공부문의 다양한 기관들과 긴밀한 관계를 유지하며 네트워크를 항시 가동할 수 있게 되었다. 필요할 때는 그들과 함께 협업하기도 하고, 고객에게 소개시켜주기도 한다. 검증된 기관을 연결해주는 것도 탁월한 컨설팅 회사가 고객에게 줄 수 있는 귀한 보너스이다.

그림 14. 엘리오 건강랭킹 기사 사례[11]

고혈압·흡연 최저, 지자체 건강 1위는 光州… 서울 3위

광주, 인구대비 병상·의사數 1·2위… 서울, 기대수명 82.6세 1위
전체 2위 대전은 시민 47%가 "스스로 건강하다고 생각한다"
기초단체 1위 서울 강남구, '도시 질환' 유방암 환자는 전국 5위

엘리오앤컴퍼니 '지역 건강랭킹'

전국 16개 광역자치단체 중에서 질병 실태와 의료 서비스 수준 등을 감안한 '건강 지수'가 가장 높은 곳은 '광주광역시'로 조사됐다.

의료·공공 분야 전문 컨설팅 회사인 엘리오앤컴퍼니(이하 엘리오)는 12일 "2016년 기준 정부 통계 자료를 토대로 지자체별 ▲건강 성과 ▲질병 예방 ▲의료 효율 ▲의료 공급 등 4개 영역에 걸쳐 25개 세부 지표를 분석한 결과, 광주가 2년 연속 전체 1위(81.1점)를 기록했다"고 밝혔다. 엘리오 측은 2011년부터 매년 같은 방식으로 지자체별 건강 수준을 분석해 '대한민국 건강 랭킹'을 발표한다.

◇광주의 비결은

광주는 주민들의 실제 건강 상태를 보여주는 '건강 성과'와 의료 인프라가 충분한지 보여주는 '의료 공급' 영역에서 모두 1위를 했다. 광주는 일단 만성질환을 앓는 사람 수가 눈에 띄게 적었다. 고혈압 환자가 전국에서 제일 적고(인구 10만명당 9493명), 당뇨병 환자도 전국에서 셋째로 적었다(10만명당 4935명). 비결은 뭘까. 광주는 시민들의 생활습관이 좋았다. 흡연율(18.7%)이 전국 최저이고, 비만율(26.5%)은 전국에서 넷째로 낮았다. 의료 인프라도 탄탄했다. 인구 10만명당 병상 수(2545개·1위)와 의사 수(347명·2위)는 전국 최상위권이었다.

박개성 엘리오 대표는 "대체로 좋은 생활습관을 유지하고 있어 '만성질환'이 생기는 비율이 낮고, 충분한 의료 시설·인

'도시형 암?' 유방암 환자 많은 순위
10만명당 유방암 환자 수

순위	지역	환자 수
1위	경기 양평군	940.4명
2	인천 강화군	845.2
3	서울 중구	815.3
4	서울 서대문구	813.9
5	서울 강남구	801.0
6	서울 송파구	796.1
7	서울 용산구	794.0
8	충남 계룡시	791.2
9	서울 서초구	787.5
10	경기 과천시	781.3

안에 들게 적었다. 흡연율(16%)과 비만율(20.3%)도 둘 다 전국에서 둘째로 낮았다.

그런데 유방암만 예외였다. 강남구는 인구 10만명당 유방암 환자(801명)가 전국에서 다섯째로 많았다. 송파구(6위)·서초구(9위) 등 강남 3구도 마찬가지였다. 국립암센터 이은숙 원장은 "미국도 샌프란시스코 등 소득과 교육 수준이 높은 지역일수록 유방암 발생률이 높아지는 경향이 있다"며 "도시 사람이 농촌 사람보다 청소년기에 활동량이 적고 결혼, 첫 출산 연령이 늦은 편인데 학계에선 이러한 다양한 요인이 도시의 유방암 발생률을 높이는 것으로 보고 있다"고 했다.

◇건강 격차가 커진다

문제는 지역 간 '건강일수'(1년 중 병원에 안 가는 날 수) 격차가 커지고 있다는 점이다. 건강일수가 긴 기초단체들은

어떻게 평가했나 괄호 안은 반영률

평가 영역	건강 성과 (50%)	질병 예방 (25%)	의료 효율성 (10%)	의료 공급 (15%)
핵심 지표	-기대수명 -건강 일수 -암환자 수 -당뇨병 환자 수 -고혈압 환자 수 등	-주관적 스트레스 인지율 -현재 흡연율 -비만 인구율 -건강검진 수진율	-관내 이용률(외래, 입원) -평균 재원 일수 -상대 평균 진료비(외래, 입원)	-10만명당 의사 수·병상 수 -1인당 보건 예산

자료=엘리오앤컴퍼니

산 좋고 물 맑은 강원도가 꼴찌, 왜?

토탈서비스의 길,
고객이 개척해주었다

병원의 비전을 달성하려면 병원의 전략을 잘 짜는 것만으로는 부족하다. 망치를 가진 자는 망치로, 펜치를 가진 자는 펜치로 문제를 해결하려고 하듯이, 대부분의 컨설턴트는 자신이 가진 장기로 모든 것을 해석하고 해결하려는 경향이 있다. 전략 컨설턴트는 전략적 관점, 인사 컨설턴트는 인사의 관점, 조직문화 컨설턴트는 조직문화의 관점 등 각자에게 익숙한 눈으로만 문제를 보고 해결하려고 한다.

일반적으로 전문법인이나 컨설팅 회사들은 회계, 법률, 건축을 비롯해서 전략, 인사조직, 정보화 등 기능별로 전문화되어 있다. 조직의 문제를 통합적으로 보기 어려운 구조이며, 특정 산업의 고유한 특성을 감안하기도 쉽지 않다. 이런 구조에서는 의미 있는 컨설팅 성과를 도출하기 어려운 게 사실이다. 저자는 의료와 관련된 토탈서비스(Total Service)를 오래전부터 생각해오고 있었다. 그런데 그 길을 현실에서 열어준 것은 바로 고객이었다.

탁월한 경영자였던 모 의료원장님은 전략수립 컨설팅이 끝난 뒤 가진 식사자리에서 뜻밖의 제안을 했다. 대학병원의 분원을 설립하면서 특색 있는 병원을 설계했으면 하는데, 개념설계를 엘리오가 맡아달라는 요청이었다.

일반 설계회사는 병원에 대한 전반적 이해가 부족하고, 병원의 미래 변화를 예측하지 못하며, 설계 과정에서 의료진을 설득하기도 어렵다는 것이다. 또, 설계회사가 다른 병원을 단순히 벤치마킹하거나 시설의 공간배치에 대해서도 의료진의 목소리에 의존하기 때문에 다른 병원과 차이점이 별로 없고, 주장이 강한 진료과의 의견이 많이 반영되어 공간설계가 왜곡될 가능성이 있다는 것이다. 그래서 병원경영 전반에 대한 전문성이 있는 회사가 공간을 설계하고 그 후 설계회사가 상세설계를 하는 게 최상이라는 것이 그 의료원장님 논리의 요지였다.

그 말을 듣고 속이 후련했다. 평소 저자의 생각과 너무나 일치했기 때문이었다. 미래의 변화에 대비하고 차별화된 병원을 원한다면 병원경영과 의료에 대해 전반적인 전문성을 가진 회사가 공간설계를 수행해야 한다. 그 회사는 의료정책의 변화, 환자와 의사의 동선, 진료 전문화 영역, 진료과별 특성, 환자 추이, 주요 시설별 표준면적, 평균면적 등에 대해 충분한 지식과 경험이 있어야 한다. 그래야 현재는 물론 미래의 시점에서 예상되는 요구도 충족시킬 수 있도록 바람직한 모습을 그려내고 거기에 부응하는 결론을 도출해 낼 수 있다. 이를 토대로 다양한 의료진의 요구를 객관적으로 조정하는 일도 필수적이다.

이런 관점은 인사제도에도 마찬가지로 적용된다. 병원을 경험해보지 못했던 모 인사전문 컨설팅 회사가 병원의 인사조직 프로젝트를 수행한 적이 있었다. 그런데 이 회사가 컨설팅을 수행한 4개월은 진료과나 의료진의 특성, 직종별 애로사항, 다른 병원의 인사제도나 급여체계는 물론이고 병원조직을 이해하기에도 부족한 기간이었다. 그 결과 병원의 특성을 전혀 반영하지 못한 대안이 제시되었고, 구성원 중 어느 누구의 공감도 이끌어내지 못했다. 투입된 인사 컨설턴트의 개인역량의 문제를 떠나 병원의 특성을 알지 못하면 4개월이라는 기간에 문제점을 구체적으로 파악하여 대안을 제시하는 것은 사실상 불가능하다고 본다. 프로젝트를 시작하기 전부터 병원의 인사나 급여제도는 물론 직종별 애로사항 등을 잘 알고 있고 다른 병원과의 비교자료와 이를 분석할 수 있는 도구가 있어야 소기의 성과를 거둘 수 있다.

엘리오의 프로젝트 경험이 많아지고 고객이 늘어남에 따라 병원과 관련된 서비스 분야가 확장되었다. 비전과 전략을 수립하고, 증축이나 신설 병원을 설계한 후 개원전략을 추진하고, 성과급이나 인사제도를 혁신하고, 콜센터·진료협력센터·건진센터·편의사업 등을 활성화하여 수익을 올리고, 전략적 구매를 통해 비용을 절감하고, 각종 혁신을 지원하는 정보시스템을 구축하고, 브랜드 전략을 수립하는 등 병원의 모든 분야에 대한 경험과 정보를 체계적으로 구축하여 토탈 서비스를 시행할 수 있게 되었다. 대학병원에서 한 개의 프로젝트가 끝나면, 자연스럽게 그다음 프로젝트를 연이어 수행할 수 있는 여건이 갖추어졌다.

컨설팅을 넘어 컨솔빙으로 진화

프로젝트 기간 중이나 종료 후 바로 실행할 수 있는 단기적 과제는 병원장의 결단만 있으면 대부분 성공한다. 하지만 전략이 여러 개이고, 전략마다 상세한 실행안을 만들어 구성원을 설득해야 하는 과제들은 기대에 못 미치는 경우가 있었다. 한두 번의 결단으로 되는 것도 아니라 실행하는 데 꽤 오랜 시간이 걸리고 정교한 실행전술이 필요하기 때문이다. 실행하는 데 시간이 많이 소요되는 프로젝트를 한 뒤 병원의 역량 문제로 제대로 실행되지 않으면 그때마다 마음을 졸였다. 전략이 실행되지 않으면 성과도 기대할 수 없고 그렇게 되면 결과적으로 컨설팅 회사를 탓하는 말이 돌기도 한다. 게다가 엘리오 컨설턴트들이 쏟은 시간과 열정이 헛일이 되고 보람을 찾을 수 없게 된다.

실행에 어려움을 겪는 회사를 도와주고 싶어도 단발성 프로젝트가 끝난 뒤에는 줄 수 있는 도움에 한계가 있다. '이것 좀 알려달라'는 식의 요구에는 얼마든지 부응할 수 있지만, 실행에 필요한 권한이 없기에 멈춰 선 바퀴를 돌리는 데 직접적인 도움을 주기는 어렵다. 계약기간 중에는 구성원들과의 직접적인 접촉이 정당하지만, 종료 후에는 월권으로 비칠 수 있기 때문이다.

병원의 발전전략을 비롯한 다양한 계획을 수립한 후 실행이 지지부진한 경우를 지켜보면서 저자는 아쉬움이 컸다. 그러던 차에 경영상태가 한계에 직면한 중소병원의 경영자들이 저자를 찾아와 계획 수립과 대안 제시에 그칠 게 아니라 실행도 함께해달라고 요청해왔다. 그중 훌륭한 인품을 가진 이사장과 함께 의기투합하여 궁리한 끝에 새로운 서비스를 만들었다.

장기계약을 하여 계획 수립도 실행도 상시 협력하는 형태다. 병원과 관련해서는 이미 전 영역에 걸쳐 토탈서비스를 하고 있었기에 비전 수립에서부터 건축, 인사, 재무, 구매, 정보화 등 모든 서비스를 해당 병원의 여건과 상황에 맞게 함께 계획하고 실행할 수 있었다. 대학병원의 프로젝트를 한 개 수행하는데 보통 3~4개월이 걸리는데, 이는 이런 프로젝트 10여 개에 해당하는 업무이며, 거기에다 각 프로젝트의 실행을 지원하는 업무까지 더해진 것이다. 이처럼 일회성 프로젝트에 그치는 게 아니라 병원과 전문기관이 함께 전반적인 경영 분야에서 부족한 점을 실시간으로 파악하고 해결하여 경영목표를 달성하는 방식이다.

이것이 엘리오의 협력경영 모델인데, 저자는 함께(Con) 논의하고 진단하는(Sulting) 컨설팅(Consulting) 수준을 넘어, 함께(Con) 실행하여 문제점도 해결(Solving)한다는 의미를 담아 컨솔빙(Consolving™)이라고 명명하였다.

협력경영을 하게 되면 다양한 경험과 지식을 가진 총괄컨설턴트가 그 병원에 적합한 전략을 세우고 경영자나 구성원에게 확신을 준다. 각종 전략을 실행하는데 필요한 자료나 정보시스템을 제공하고 실행과제별로 특화된 컨설턴트가 함께 실행하면서 장애요인을 극복할 수 있게 한다. 때로는 최적의 전문가나 전문기관을 소개하기도 하고, 정부나 지자체 등과의 협상을 대리하거나 지원한다.

이와 같이 오랜 경험을 가진 컨설턴트들의 지식과 노하우, 데이터베이스와 정보시스템, 네트워크 등을 총체적으로 활용하니 성공률이 높아질 수밖에 없다. 지금까지는 협력경영을 전국의 대형병원과 중소병원에서 수행하고 있으나, 실행이 더욱 힘든 대학병원에 잘 활용될 수 있도록 고도화하고 있다.

엘리오가 지켜온 사명과 이루어갈 사명

엘리오의 제1의 사명은 우리나라 국민에게 최고의 의료서비스를 제공하고 의료산업의 경쟁력을 높이는 것이다. 지난 20년간 이 사명을 간직해왔고, 향후 20년도 같은 마음으로 달려갈 것이다.

엘리오는 병원이 바로 서야 우리나라의 미래가 밝다는 모토로 꾸준히 달려왔다. 최정상급 병원을 비롯하여 수많은 병원의 경영파트너로서의 역할을 수행해왔다. 경영시스템과 진료시스템을 선진화하여 환자서비스를 제고하고 구성원들이 삶의 보람을 느낄 수 있는 여건과 문화를 만드는 과정이었다. 그 결과 우리나라 병원경영의 전반적인 수준이 높아지고, 우리나라의 Big 4 병원들이 일본의 대표 병원들을 앞서고 해외 선진병원들과 어깨를 나란히 하는 데 일조했다는 자부심과 보람을 가지고 있다. 이미 병원에서 제약사 그리고 그룹사로 고객이 확대되었다. 우리나라 의료산업의 경쟁력을 높이기 위해 의료분야의 신사업을 뜻있는 분들과 함께 고민하고 있다.

의료분야의 컨설팅시장을 개척하는 입장에 있었기에 늘 선두에 서 있을 수밖에 없었다. 그래서 병원과 의료산업의 경쟁력을 높이기 위해 '병원장은 있어도 경영자는 없다' 등의 책을 쓰고 정부와 의료기관 그리고 기업 등에서 강의를 통해 프로젝트의 경험을 공유하고 새로운 지식을 전파하고자 했다. 특히 보건정책에 도움을 주고자 '병원은 많아도 의료산업은 없다'는 등의 책을 쓰고 청와대, 총리실, 보건복지부 등 중앙부처에 대한 자문활동도 꾸준히 해왔다.

<대한민국 건강랭킹>이란 책을 내고 웹사이트를 운영하여 국민에게 정보를 공개한 것도 이런 취지에서였다. 시군구별로 건강수준을 평가하여 공개함으로써 시도지사나 구청장의 지역건강에 대한 관심을 환기하고 '의료자치(醫療自治)'를 앞당기기 위해서다. 해외에서는 정부나 공공부문이 수행하고 있지만 우리나라에서는 공공부문은 물론 누구도 하지 않기에 엘리오가 처음 시도했다. 이렇듯 의료계가 직면한 문제 해결을 돕고, 의료계 종사자의 업무 여건을 개선하고, 의료계가 더 나은 서비스를 국민에게 제공하는 데 일조할 수 있었던 게 감사할 따름이다.

엘리오의 제2의 사명은 세계에서 찾아볼 수 없는 의료서비스를 창출하여 우리나라로 해외환자, 해외고객을 불러들이는 것이다. 진정한 환자 중심의 진료가 되기 위해서는 제도적, 문화적 변혁이 더 있어야 하지만, 전 세계적으로 치료중심의 의료에서는 많은 발전이 있었다. 그러나 잠재 질환군에 대한 예방의료와 치료 이후의 재활의료, 재생의료에 대해서는 아직 걸음마 수준이라고 할 수 있다. 지금 국내에서는 건강검진센터, 재활치료센터, 건강기능식품 등이 각자의 기능적 변화나 통합적인 시도 없이 개별적 마케팅에 의존하여 중구난방 식으로 시장을 키우고 있다. 세계적으로 경쟁력이 있는 예방과 재활의 균형이 잡힌 의료를 준비하고 실현해야 한다.

이를 위해서는 온라인에서도 치료와 함께 예방, 재활 관련된 정보가 제공되어야 한다. 인터넷에는 건강과 관련된 정보들이 넘쳐난다. 하지만 병원과 의사를 선택하거나 그와 관련된 궁금증을 해소할 수 있도록 신뢰성 있는 정보를 제공하는 사이트를 찾아보기 어렵다. 그동안 축적되었던 경험과 데이터베이스 그리고 의료계의 네트워크를 활용하여 건강 관련 플랫폼을 구축할 예정이다. 이 플랫폼에서 국내외

환자를 위해 질환과 지역별로 개원가, 중소병원, 전문병원, 대학병원, 요양병원, 의사, 간호사, 간병인 등을 망라해서 건강과 관련된 신뢰성 있는 정보를 제공하고자 한다.

엘리오의 제3의 사명은 고령화 시대에 대비하여 미래형 실버타운의 모델인 '바이탈 밸리(Vital Valley™)'를 만드는 것이다. 모두가 원해온 생명 연장의 꿈이 실현되어 요즘 사람들은 과거보다 20~30년을 더 산다. 현재 우리나라 50대 이상 부부의 부모님 네 분 중 한 분은 요양시설에 있다. 이들 중 상당수가 '허락된 고려장'을 당하고 있다고 한다. 자녀들은 생업으로 노인들을 돌볼 여력이 없고, 뇌졸중이나 치매 같은 경우엔 온 가족이 매달려도 회복시킬 방법을 찾기 어렵다.

일상생활 복귀율이나 회복상태를 평가하지 않고 환자의 등급별로 일정 수가를 지급하는 정부정책도 문제다. 병원들은 환자를 많이 확보해야 적정수익을 확보할 수 있어 치료보다는 환자수에 연연해할 수밖에 없다. 이런 처지에 있는 요양시설에 부모를 맡기고 돌아서면서 가슴에 멍이 들지 않는 이는 거의 없다. 나를 대신해 잘 케어해줄 것이라는 안심보다는 죄스러울 뿐이다. 이런 감정을 추스르기 어려운 분들이 많을 것이다.

이런 일을 겪게 되면 문득 이게 20년 후 내 모습이 아닐까 하는 걱정에 빠져들게 된다. 요컨대 지금 대한민국은 노인들이 병이 들어도 제대로 된 치료와 재활을 지원해주지 못하고 있다. 경제성장을 이끌고 꼬박꼬박 세금을 낸 세대에게 국가가 마땅히 해야 할 도리를 못 하고 있다.

이는 가난한 사람들만의 문제가 아니다. 제대로 된 시스템이 마련되지 않으면 누구도 피해 가기 어려운 게 고령화 시대의 의료, 복지 문제다. 선진국들은 오래전부터 고령화된 국민을 행복하게 할 수 있는 시스템경쟁을 벌이고 있다. 대한민국도 그 대열에 합류해야 한다. 예방을 통하여 건강수명을 늘리고 말년까지 행복하게 지낼 수 있게 제도를 만들고 관련 산업을 일으켜야 한다. 이런 중차대한 국가적 과업이 지연되고 있는데, 정부가 해주기만을 마냥 기다릴 순 없다. 엘리오는 고령화와 관련된 연구와 저술을 통해 국민적 공감대를 형성하려고 한다. 또한 고령화에 대비한, 의료가 융합된 건강타운과 의료클러스터의 모델을 창출하는 데 혼신의 노력을 하고자 한다.

이미 작년에 5.5만 평에 이르는 부지에 3조 원이 넘는 사업비 규모를 가진 선진국형 의료클러스터를 추진한 바 있다(그림 15). 고령화에 대비하고 의료산업의 미래를 밝힐 신개념 의료타운인 바이탈 밸리를 계획하고 이를 실현할 구체적인 방안을 제안하였다.

그림 15. 바이탈 밸리(의료클러스터) 조감도

의료클러스터에 존재할 각종 시설의 운영사업자를 국내 1위의 기관들로 컨소시엄을 구성하거나 협약을 맺은 것은 국내 최초로 있는 일이다. 특히 컨소시엄에 참여한 모든 기관이 자신의 업무에 대한 정상적인 보수만 받고, 개발이익의 전액을 병원과 의료클러스터를 구현하는 데 투입하기로 합의한 것도 처음 있는 일이다. 자신들의 기관에 당장의 이익이 떨어지지 않음에도 누군가 나서서 우리나라의 미래를 대비해 주기를 바라는 마음에서 흔쾌히 참여의사를 표시해주었다.

선진국형 의료클러스터의 첫발을 내딛으려면 경쟁을 넘어 의료기관 간 초협력이 필요하다. 한 병원의 힘만으로는 구축하기 어려운 대규모 우수 의료진의 수급, 의료품질의 조기 안정화를 위해 연세대·고려대·경희대의 국내 최상위 대학병원과 비대학병원 중 병상규모로 2위인 세명기독병원, 그리고 해외환자 유치와 의료진 교류를 위해 사우디에서 가장 큰 의과대학을 운영하고 6개국, 16개의 병원을 운영하는 중동 최대의 병원그룹인 알 베터지가 동참했다.

3.6조 원의 재원 조달을 위해 국책은행인 KDB산업은행, 자산규모 1위인 신한은행, 부동산금융의 강자인 메리츠증권이 참여했고, 의료클러스터 전역에 인프라를 구축하기 위해선 네이버 클라우드, 전반적인 사업진행을 위해 엘리오앤컴퍼니 등이 컨소시엄에 참여하였다.

최고의 시공품질과 최상위 주거브랜드를 가진 시공능력 1위, 3위의 삼성물산과 DL이앤씨(舊 대림산업), 헬스케어서비스의 디바이스 설계 선두주자인 삼성전자, 국내 최상급 호텔 9곳을 갖춘 조선호텔앤리조트, 스타필드와 신세계 백화점의 신세계프라퍼티, 친환경적인 공간 구축에 강한 K-Weather, 헬스·바이오기업 분야에서 국내 최다 투자실적을 보유한 IMM인베스트먼트, 바이오기반 건강기능제품 1위 기업인 CJ제일제당, 국내 1위 의약품 위탁생산 기업인 제뉴원사이언스, 의공학에 강한 포항공과대학, 미생물학 분야 세계 28위인 겐트대학교(벨기에) 등이 흔쾌히 참여의사를 밝혔다. 촉박한 시간에도 함께 뜻을 모아주신 기관들과 관계자들께 진심으로 감사드린다. 지금도 그때의 경험과 성원에 힘입어 다른 지역에서 의료복합단지의 개발을 주도적으로 추진하고 있다.

그림 16. 바이탈 밸리의 상징인 IT 컨트롤 센터와 의료복합 주거공간

바이탈 컨트롤 타워

캔디 아치

선진국에도 등급이 있다. 후진국에 싼 제품을 수출하는 것, 선진국에 싼 제품을 수출하는 것, 후진국에 비싼 제품을 수출하는 것, 선진국에 비싼 제품을 수출하는 것, 선진국에 문화, 지식과 서비스를 수출하는 순서로 선진국 순위는 더 높아진다. 우리나라는 이미 가전제품, 화장품, 핸드폰 등을 선진국에 고가로 수출하고 있어 선진국으로 가는 길에 서 있다. 여기서 더 나아가 음악, 예술, 체육은 물론 다양한 문화를 해외에 전파하고 있다. 김구 선생이 말한 문화강국의 꿈이 이루어지고 있다. 이제 지식과 건강과 관련된 제품, 서비스, 시스템을 수출하는 새로운 길을 열어젖혀야 한다.

지금까지 공공부문과 의료산업의 현장에서 쌓아온 엘리오의 지식과 경험 그리고 우리의 향후 노력이, 기품 있는 선진 대한민국을 만드는 데 일조할 수 있기를 소망한다. '한강의 기적'을 이룬 우리 국민들이 마지막 순간까지 인간적인 존엄을 지키며, 더 행복한 삶을 누리는데 엘리오가 작은 디딤돌이 되겠다는 다짐도 함께 드린다.

미 주

1) ELIO 설문분석시스템 SCAN™을 통한 병원 구성원 설문 결과

2) U.S. News Hospital Rankings and Ratings, 2021~22

3) 메이요 클리닉 외 4곳 각 병원 홈페이지

4) 서울대학교병원 설치법, 국가법령정보센터, 2022

5) 국립대학교병원 설치법, 국가법령정보센터, 2022

6) 국립대학교병원 설치법, 시행령, 국가법령정보센터, 2022

7) ELIO 설문분석시스템 SCAN™을 통한 병원 내원환자 설문 결과

8) 깨진 유리창 이론. 제임스 윌슨, 조지 켈링, 아틀란틱, 1982.03

9) 이인복 기자, 「의료기기 간납사 조사 마무리 수순…언제 폭탄 터질까」, 메디컬타임즈, 2022.05.24, https://www.medicaltimes.com/Users/News/NewsView.html?ID=1147425

10) 동아일보 기사 발췌

11) 홍준기 기자, 「고혈압·흡연 최저, 지자체 건강 1위는 光州… 서울 3위」, 조선일보, 2018.08.13, https://www.chosun.com/site/data/html_dir/2018/08/13/2018081300270.html

병원경영의 최고 전문가가 전해주는 실전의 지혜 **병원경영 실전전략**

초판 1쇄 발행 2022년 11월 22일
초판 2쇄 발행 2023년 06월 30일

지 은 이 | 박개성
출판기획 | 정광재, 조명현
편 집 | 성만석, 임항빈, 김종현, 유동화, 김규진, 임재진
교정·교열 | 김영미, 이현지
디 자 인 | 강세미, 노지영

발 행 처 | 엘리오앤컴퍼니
등 록 일 | 2002년 05월 30일
등 록 | 제 16-2730호
주 소 | 06137 서울 강남구 언주로 103길 7 엘리오앤컴퍼니 빌딩
전 화 | (02)725-1225
팩 스 | (02)753-0125
E-Mail | ask@elio.co.kr
홈페이지 | https://www.elio.co.kr

ISBN 979-11-952524-5-9